KB104146

우리들의 꿈

김다은, 김시은, 박여진, 이인영, 이승현, 최정인

우리들의 꿈

발 행 일	2024년 7월 11일
지 은 이	초보 학생 작가 6명
	김다은 김시은 박여진 이인영 이승현 최정인
엮 은 이	이소희
발 행 인	권경민
발 행 처	한국지식문화원

출판등록	제 2021-000105호 (2024년 5월 25일)
주 소	서울시 서초구 서운로13 중앙로얄빌딩 B126
대표전화	0507-1467-7884
홈페이지	www.kcbooks.org
이 메 일	admin@kcbooks.org
ISBN	97911-7190-039-8

2024년 경상북도교육청 청도도서관 꿈 성장 프로젝트

우리들의 꿈

청도 모계고등학교 '함께 작가' 지음
김다은, 김시은, 박여진, 이인영, 이승현, 최정인

이소희 엮음

한국지식문화원

우리들의 꿈

4월 어느 날, 모계고등학교 친구들을 만나기 위해 청도로 향했습니다. 작가가 되기 위해 고운 결을 가진 친구들을요.

〈우리들의 꿈은〉은 4월의 벚꽃 날리는 봄에 만나, 7월의 무덥지끈한 계절까지 우리 친구들이 애썼던 시간의 결과물입니다. 주제는 '꿈'입니다.

문득 제 고등학교 시절이 떠오르면서 단숨에 17살로 돌아가는 마법을 부렸습니다. 친구들과 울고 웃었던 시간 속에서 미래에 대한 막연함까지 당시 느꼈던 감정들이 되살아나 우리 친구들의 현재와 만날 수 있었던 귀한 시간이었습니다.

성인이 채 되지 않은 친구들의 웃음 뒤에는 분명 '꿈'에 대한 치열한 고민이 담겨있을 것입니다. 고민은 고스란히 친구들의 글 속에 녹아있고, 마음을 잘 표현해냈습니다. 소설과 또는 에세이 형식을 빌려와 자유롭게 표현하고자 하는 그 마음이 너무나 잘 느껴졌네요. 이렇게 내면을 글로 표현할 수 있다는 게 놀라운 시간이었습니다.

한 권의 책이 세상에 나오기까지 인고의 시간과 수많은 사람의 노력이 함께 합니다. 출판은 출산의 고통에 비유되곤 하죠. 하나의 생명을 잉태하여 그 생명이 세상에 나올 때까지 사랑과 노력, 도움이 필요합니다. 무엇보다 우리 친구들의 노력이 절실했습니다.

이 책은 초보 작가님들의 서툴지만, 진심이 담긴 내용으로 채웠습니다. 조금 어설프고 미완성인 부분도 있지만 상상하고 경험했던 이야기를 책으로 만들어 내었다는 자체로 소중한 시간이었다고 생각합니다.

우리 친구들의 앞날에 축복과 희망만이 함께 하길 바라봅니다.

2024년. 청도 모계고등학교에서

지도 작가 이소희

TABLE OF
CONTENTS

TABLE OF
CONTENTS

김다은

작가명: 김다은

꿈: 세계 여행, 뮤지컬 종일반

좌우명: 노력한다고 모두 성공할 수는
없지만, 성공한 사람은 모두 노력했다.

좋아하는 것: 뮤지컬, 음악

언제나
스무 살일
너에게
김다은 지음

첫 번째 편지

1. 첫 번째 편지

오랜만이네요, 연구원에 합격하니까 당신 생각부터….

준휘는 모니터 속 아무렇게나 지껄이기 시작한 글을 멈추고 모니터를 응시했다. 한참을 빤히 모니터만 바라보던 그는 문득 무언가 생각난 듯 폭력적으로 키보드의 백스페이스 키를 연타하고 다시 글을 휘갈기기 시작했다. 옆집 옥상에서 시끄럽게 울어대던 고양이들까지 조용해져 준휘의 방에는 키보드 타닥거리는 소리만 남았다.

오랜만이야. 연구원에 합격하니까 너 생각부터 나더라. 아, 착각 마. 그립단 뜻 아니니까. 왜 반말이냐고? 생각해보니까 나 이제 너랑 동갑이더라. 넌 아직 스물이겠지? 넌 제 4지구, 그러니까 마지막 지구까지 거의 광속으로 워프 중이니까 이제 한 달 지났겠네. 어때, 우주선은 지낼 만해?

난 어제 동기들끼리 여행 갔다 왔는데, 네가 없어지고 가장 행복한 순간이었어. 가서 술도 마셔보고 술게임도 엄청나게 했어. 내가 다 져서 아침에 설거지하기는 했지만. 예쁜 동기랑 썸도 탔다? 옛날얘기 중 CC는 절대 안 된다고 하던데, 나랑 지후는 괜찮지 않을까 생각해.

맞다, 알바 자리도 구했어. 요즘엔 지원이 빵빵해져서 보조금이 나오기는 한다만 다 그렇듯 충분한 건 아니잖아? 그래서 알바를 하기로 했는데 아무래도 연구원에 수석 합격해서 그런지 괜찮은 알바가 꽤 빨리 잡히더라고.

사람들이 다 떠나고 나서 세계 인구가 20억 명밖에 안 남아서 공부를 가르칠 사람이 부족하단 말이야. 아, 넌 모르겠구나? 요즘 지구 교육이 어떻게 돌아가는지. 고등학생의 80%가 대학에 갔던 이전의 한국과 다르게 지금 지구의 대학은 지역마다 분야별로 하나뿐이야. 나머지는 대부분 농사를 짓거나, 해봤자 생필품을 생산하는 단순한 일을 해.

대학생들은 지구에 남은 유명한 석학들에게 일대일로 지식을 사사받고 졸업하면 그 분야의 국제기관 소속 연구센터에 들어가서 세계의 발전을 위해 이바지하게 돼. 사실상 대학이라기보단 연구원 양성을 위한 교육기관이지. 새삼 이런 곳에 들어간 내가 대단하게 느껴지지 않아? 날 버리고 떠나지만 않았어도 넌 이 행복을 나와 온전히 느낄 수 있었을 텐데.

아, 맞다. 안타까운 소식 하나 알려 줄까? 넌 지구가 무너질까 두려워서 혼자 도망갔지만, 지구는 회복되고 있어. 2090년에 제 2지구 이주 계획이 성공하고 나서 거의 ⅔가 새 지구로 이주하고, 지구에 남은 사람들이라곤 지구를 사랑하거나, 노인이거나, 가난한 사람들밖에 없었거든.

자연을 오염시킬 사람이 없어서 그런지 지구는 마지막으로 인간에게 자비를 베풀어 예전의 모습을 되찾고 있어. 물론 우리도 지구에 협조해서 환경오염을 일으킬 만한 일은 최대한 없애고 있고. 기득권자들이 떠나니 여기는 거의 유토피아야. 순리대로 흘러가는 평안한 지구, 인류가 생겨난 이후 3,000만 년만이겠네.

넌 어떻게 잘 지내고 있어? 구식우주선, 이름이 MG-2100이랬나? 그 삼등석을 타고 불편한 침대에 등을 맞대며 수십 명의 사람과 함께

한방을 쓰면서도 마지막 이주에 간신히 끼이게 된 건, 즐겁니? 네가 꼭 이 편지를 받고 행복하지 않길 바랄게. 석 달간의 우주 항해에 행운을 빌며, 도착할 때는 이미 난 죽을 때겠지만, 안녕.

쉬지 않고 타자 소리만 나던 준휘의 방은 강하게 엔터키를 누르는 소리를 마지막으로 조용해졌다. 준휘는 혹사당한 손목을 툭툭 풀고 계속 모니터만 보느라 충혈된 눈을 도륵도륵 굴린 뒤 다시 자신이 쓴 글을 훑어보았다.

감정에 휘둘려 너저분하고 제 자랑만 늘어놓은 글이었지만, 준휘는 굳이 글을 고치려고 하지 않았다. 그녀가 이 글을 읽을 리가 없으니까. 자신도 그저 감정의 해소를 위해 썼을 뿐이지 다시 읽을 생각 따윈 추호도 없으니까.

준휘는 메모장에 적은 글을 저장하고 '편지' 폴더를 만들어 글을 그 안에 넣고 USER 파일에 그 폴더를 한 번 더 집어넣었다. 글의 이름은 단순하고 구분하기 편하게, 준휘가 항상 사용해왔던 방식, '21200212 편지'였다. 작업을 만족스레 끝내고 준휘는 창문을 열어 하늘을 보았다. 하루가 끝나면 그녀가 떠난 하늘을 올려다보던 게 습관이 된 것이다. 평소처럼 집중해야 보이는 작은 별들과 밝게 빛나는 큰 별들 사이로 순식간에 밝은 빛이 번쩍였다 사라졌다. 별똥별이나 혜성이 오는 시기가 아니었기에 잘못 보았나 의심도 했지만, 그 빛은 수만 시간을 기다려서 목격한 별똥별처럼 절대 실수로 잘못 볼 수 없는 빛이었다.

준휘는 신기하다고 생각하곤 다시 새까만 하늘을 뒤덮은 크고 작은 별들을 바라보다가 평소보다 조금 늦은 밤에 잠들었다.

두 번째 편지

2. 두 번째 편지

이사용 박스와 헝클어진 짐으로 가득한 방, 준휘의 스마트워치에서 '카톡' 소리가 울렸다.

-짐 정리 중이야?

-응, 내일 중으로는 끝날 거 같아. 이제 컴퓨터 자료 백업하고 책만 챙기면 오늘치 정리는 끝!

-내일 우리 약혼반지 맞추러 가는 거 기억하지? 전화로 모닝콜 해줄까?

준휘는 고민했다. 약혼한 여자친구가 귀찮지 않게 전화를 하지 않아도 된다고 하는 게 좋을까? 혹시 거절하면 실망할까? 고민 끝에 그는 이렇게 대답했다.

-진짜? 고마워어어! 그래도 괜히 무리해서 일어나진 않아도 돼. ㅎㅎ 낼 봐!

여자친구가 보낸 굿바이 인사를 하는 귀여운 이모티콘에 하트를 남긴 준휘는 오랜만에 컴퓨터 파일을 모두 훑으며 남겨야 할 파일과 버릴 파일을 구분하기도 하고, 젊었을 때 쓴 유치하지만, 그때만 느낄 수 있는 풋풋함과 젊음이 담긴 글을 보며 추억에 잠기기도 했다.

"나 논문 진짜 못 썼구나? 우웩, 이건 내 첫 고백 편지? 진짜 오글거린다. 너는 지구고 나는 뉴턴의 사과 같다니, 걘 이런 걸 읽고도 어떻게 나랑 사귄 거지?"

때론 낄낄거리고 때론 얼굴이 붉어지며 과거의 기록들을 하나하나 정리해나가다가 준휘는 외딴곳에 숨겨져 있는 폴더 하나를 찾게 되었다.

"편지?"

십 년간 잊고 지내왔던 기억이 다시 밀려 들어왔다. 이 기억을 한 구석에 밀어놓고서 지금에야 떠올린 게 오히려 이상하게 느껴질 만큼 그때의 기억과 감정이 강했고 생생했다. 준휘는 조심스레 폴더를 클릭했다. 그는 천천히 편지를 읽어내려갔다.

"한 번 더 써볼까?"

새 문서를 만든 그는 다시 그녀에게 글을 쓰기 시작했다.

10년 만의 편지네. 물론 너한테는 2주 정도에 불과하겠지만. 내가 아무리 그동안 바빴다지만 10년 동안 네 기억이 나지 않을 줄은 몰랐어. 이사 준비하던 중에 너한테 보낸 편지를 찾지 않았으면 널 계속 잊고 살았을걸? 행운인지 불행인지….

준휘는 글을 쓰다 말고 멈춰서 글을 다시 읽었다. 그러고 편지의 뒷부분을 지웠다.

살았을걸? 스무 살 때 썼던 그 편지 말야. 다시 읽으니까 정말 너무 부끄럽더라. 예전엔 절대 안 읽을 거란 생각으로 썼던 거 같긴 한데, 뭐 그 덕에 이렇게 편지도 한 번 더 쓰게 되고 좋네.

우주선은 어때? 이제 반쯤 갔을 테니까 파티라도 하고 있으려나? 한 달 반 동안 우주선 안에만 있으려니 몸이 근질근질하겠다. 내가 아는 넌 활동적인데. 말도 많고 탈도 많고.

난 재작년에 대학을 졸업했어. 네가 이걸 읽으면 길어야 5, 6년짜리 대학을 8년 만에 졸업한 게 뭐 대단한 소식인가 하겠지만, 저번 편지에서 말했다시피 지금 대학은 옛날의 대학이랑 다르게 연구원을 양성하기 위한 교육기관에 가깝댔잖아. 그러다 보니 졸업 기준이 엄청 깐깐해. 일대일 수업이니까 정해진 수업 일정도 딱히 없고. 교수 성깔에 안 맞으면 졸업이 엄~청 힘들다고.

애초부터 지구를 떠날 능력이 있는데도 지구에 남겠다고 한 인간들이면 성격이 얼마나 지랄, 아니 이상하겠어. 날 담당한 교수는 그중에서도 좀 특별했지. 별명이 치와와였다니까? 몸도 작고 머리도 없으면서 건드리면 문다고. 아니 논리로 물고 늘어진다 이런 게 아니고 진짜 물어. ㄹㅇ. 보통 졸업까지 10년 넘게 걸리는 교순데 난 8년 만에 졸업한 거니까 꽤 대단한 일이라고. 졸업식하고 연구센터 배정받을 때 얼마나 기뻤는지 몰라. 졸업의 기쁨도 있었지만, 그 교수한테서 벗어난다는 생각에.

요즘 난 천문학 연구센터에서 우주에서 일어나는 예외 현상을 연구

하고 있어. 뭐 극지방이 아닌데 백야현상이 일어난다거나, 일반적으로 나타나면 안 될 시기에 혜성이 나타난다거나 하는 거. 이번엔 적도 쪽 하늘에 보라색 별이 나타나서 그 이유를 찾아냈어. 이제 다시 주제를 찾아야 하는데 찾기가 힘드네.

준휘는 글을 쓰다가 갑자기 생각에 빠졌다. '맞네, 나 연구 주제 안 정했지?' 머리를 싸매고 고민하던 준휘의 머리에 번뜩 한 가지 생각이 스치고 지나갔다. 스무 살 밤에 봤던 그 빛! 준휘는 옆에 보이는 포스트잇에 그 빛에 대해 대충 휘갈겨 쓰고 다시 편지를 쓰기 시작했다.

찾았다. 어이가 없을 수도 있겠지만 연구 주제를 찾았어. 10년 전 나에게 새삼스레 고마워지네. 음, 어디까지 적었지? 그래. 난 대학을 졸업해서 연구센터에서 일하는 중이고, 곧 결혼할 여자친구가 있어. 이름은 조한아, 같은 대학에 다녔고 광물 쪽 연구센터 연구원이야. 이번 년 안에 결혼할 생각이고.

예전에 편지에 썼던 내용이 기억나 준휘는 다시 10년 전의 편지를 훑어본 뒤 피식 웃었다.

그래, 지후. 그때는 지후랑 만났지. 지후랑은 반년 만에 끝났어. 그 이후로도 서넛 더 사귀었지만. 곧 다 헤어졌고. 지후는 같은 연구센터

라 가끔 만나는데 아직도 어색해서 인사만 하고 있어. 역시 옛말이 맞았다니까. CC는 지옥으로 가는 지름길이야.

연구센터에서 팀원으로 만난 지후를 생각하며 한숨 쉬는 준휘의 스마트워치에서 삐비빅 소리가 났다. 화면이 빛나며 수면시간 10분 전이라는 알람을 띄웠다.

하고 싶은 얘기가 더 많은데 벌써 잘 시간이네. 아, 큰일 났다. 곧 신혼집으로 이사해야 해서 짐 정리 빨리 끝내야 하는 데 편지 쓰느라 시간이 이렇게 가 버렸네. 아쉽지만 이만 줄일게. 오랜만이었어. 언젠가 다시 이 편지가 떠오른다면 다시 쓸게. 그럼 이만.

준휘가 마지막 온점을 찍는 순간 준휘의 스마트워치가 수면시간임을 알렸다. 준휘는 머리를 긁적이며 살짝 한숨을 쉬었다.

"오늘 안에 다 끝내려고 했는데…빨리하고 자야겠다."

편지를 '21300313 편지'로 저장한 준휘는 편지 파일을 남길까 말까 잠시 고민하다가 USB에 업로드했다. 10분 정도 더 컴퓨터 파일을 보며 지울 것과 남길 것을 선별한 준휘는 컴퓨터를 끄고 짐을 한쪽에 치운 다음 잠에 들었다.

다음날, 준휘가 포스트잇에 휘갈겨 적은 그 별은 연구 주제로 잠시 주목받았으나 몇 주가 지나도 그 별에 대한 실마리 하나 나오지 않는데 지쳐 팀원 중 그 누구도 연구를 지속하길 바라지 않았고, 곧 연구 보류 대상이 되어 조사자료들과 함께 창고에 박혀있게 되었다.

세 번째 편지

3. 세 번째 편지

선선한 바람이 불어오는 봄, 이제 막 잎이 돋아나기 시작한 나무들과 형형색색의 작은 들꽃과 푸른 잔디로 가득한 공원에서는 여덟 살 남짓 해 보이는 여자아이와 네 살 남짓 해 보이는 남자아이가 잔디와 흙을 밟고 뛰어다니며 유년 시절의 엄청난 체력을 보여주고 있었고, 그 옆엔 각각 두 아이와 똑같이 생긴 남녀가 노란 체크무늬 돗자리 위에 누워 아이들을 지켜보고 있었다.

"엄마! 아빠! 이거 뭐야? 흙 같은데 막 움직여!"

8살짜리 딸이 쥐어 든 미스터리한 생명체에 엄마가 놀라 뛰어갔다.

"엄마! 아빠! 봐봐, 내가 잔디 위에서 굴러볼게!"

4살짜리 아들의 99% 상처와 눈물로 끝날 묘기에 아빠가 다급하게 달려갔다.

"정아야! 일단 그거 내려놔 봐."
"왜?"
"살아있는 거 꾹 잡으면 아야 해, 아야!"

정아가 제 어깨높이에서 손을 쫙 폈다. 투둑하며 흙 한 움큼과 함께 무언가가 떨어졌다.

"기다랗고 꾸불꾸불한 걸로 봐선 지렁이네. 정아야 이거 어떻게 찾았어?"
"흙이 쪼끔씩 움직이길래 잡았어. 이거 이름이 지렁이야?"
"응, 되게 좋은 애야. 지구의 흙에 다시 영양분이 생기고 있다는 증거거든."

"영양분? 그게 뭐야? 그래서 지렁이 만져도 돼?"

"지렁이가 아야 하지 않게 조심조심 만지면 돼."

"알아써!"

여자는 정아가 조심스레 지렁이의 몸을 쓰다듬는 걸 보고 자리를 떠나 다시 돗자리 위에 앉았다. 돗자리 위에는 그녀의 남편이 앉아 있었다.

"준휘야! 정휘는 어떻게 하고?"

"걱정마세요~ 내가 다 해결했으니까."

"정휘 고집이 이만저만이 아닐 텐데?"

"한아야, 걱정마. 내가 잔디밭에서 구르면 저기 밑으로 데굴데굴 굴러가서 강물에 빠져서 용왕이랑 팔씨름해서 이기고, 독버섯이랑 싸워서 이겨야 다시 돌아올 수 있다고 했거든. 그러니까 독 시러! 아야해! 하면서 도망가서 지금 잔디에 누워서 잔디 만지면서 놀고 있어."

"하여간 애 놀리는 데 재미 들렸지? 오랜만의 휴간데 날씨 너무 좋다."

"그러게, 우리가 어릴 때만 해도 세상이 이렇게 아름다워질 줄은 몰랐는데."

준휘는 눈을 감고 부드럽게 불어오는 바람을 맞으며 흘러가는 생각에 마음을 맡겼다. 최근에 겪었던 일, 젊었을 때의 추억, 연구해야 할 주제가 산발적으로 엉켜서 떠올랐다가 사라졌다. 얼마나 지났을까, 그의 품 안으로 작고 따뜻한 무언가가 쏙 들어왔다.

"주니야 아빠, 자지 말고 놀아줘~ 나 심심해. 정아 누나가 안 놀아줘. 같이 잔디 놀이하자!"
"아빠랑? 그래그래. 저기 가서 놀까?"
"응!"

준휘와 정휘가 잔디에서 구르기, 제일 긴 잔디 찾기, 잔디 소꿉놀이 등 잔디 10종 놀이 중 9개쯤을 하고 하니 하늘이 푸른색에서 붉은색으로 변해 있었다. 준휘가 마지막 잔디 놀이를 시작하려던 순간, 한아가 정아를 안아 들고 준휘와 정휘를 찾아왔다.

"정휘야! 이제 집에 가자. 옷에 흙은 또 왜 이렇게 많이 묻었어. 준휘야, 애를 어떻게…너도 똑같구나."

온몸에 흙이 묻고 풀물이 잔뜩 스며든 준휘의 옷을 보며 한숨을 내쉰 한아는 벌써 집에 가냐며 입이 댓 발 나온 정아를 달래며 준휘에게 정휘를 들라는 무언의 압박을 가했다.

"정휘, 오늘은 집에 가자!"

"시른데."

"그럼 어떡하지? 오늘 집에서 맛있는 거 먹기로 했는데 정휘는 못 먹겠다."

"가쟈. 집 조아."

준휘는 자신에게 팔을 벌린 아들을 조심스레 들어 올리고, 품 안에 편안하게 앉혔다. 그는 자전거 뒷좌석에 아들을 태우고 천천히 다시 집으로 돌아갔다. 집에 도착하자마자 집 안에서 나오는 시원한 공기가 더운 몸을 식혔다.

"야, 한 시간 동안 자전거 타니까 너무 힘들다. 아이스크림 먹자!"

준휘가 아이스크림이라는 말을 꺼내자마자 아이들이 초롱초롱한 눈으로 한아를 쳐다봤다. 곤란한 표정으로 아이들을 보는 한아를 보며 준휘는 짓궂은 웃음을 짓고 있었다.

"이준휘! 내가 정말 애를 둘을 키우는 건지, 셋을 키우는 건지. 너는 그렇게 아이스크림이 먹고 싶니? 애들까지 이용해가면서?"

"에이, 덥잖아. 정아 정휘도 아이스크림 먹고 싶지~"

응! 하고 정휘와 정아가 귀가 울리도록 크게 외쳤다. 준휘는 냉장고에서 아이스크림을 한 개씩 꺼내 한아가 제일 좋아하는 맛을 한아의 손에 들리고, 아이들에게 하나씩 나눠줬다. 아이들은 거실로 뛰어가 한 손으로 자기 최애 장난감을 쥐고 다른 손으론 아이스크림을 먹었다.

"한아야, 계속 잡고 있으면 녹아. 얼른 먹어, 얼른. 어어, 손으로 떨어진다!"

한아가 준휘를 보며 고개를 절레절레 흔들었다.

"에휴, 나이가 몇인데 아직 저래."

한아가 식탁에 앉아 아이스크림을 먹기 시작하자 준휘는 조용히 아이스크림을 들고 서재로 몸을 옮겼다. 딸깍하고 버튼을 누르자 본체에서 힘겹게 위잉거리는 소음을 내며 모니터가 켜졌다. 십 년 전 이 집으로 이사 올 때 샀던, 켜고 나서 시스템이 로딩될 때까지 오 분 가까이 기다려야 하는 낡은 데스크탑이다.

오랜 시간 컴퓨터를 기다리며 다 먹은 아이스크림 바는 잠시 옆으로 밀어두고 준휘는 USER 파일을 뒤지기 시작했다. 조용한 딸깍거림 끝에 준휘는 바라던 파일을 찾았다.

"또 10년 만이네."

자신이 적은 글을 다시 읽은 그는 재밌다는 듯 살짝 웃고 문서를 새로 열었다.

오랜만이네. 가끔 네 생각이 나는데 그때마다 시간이 없어서 잊어버리고 못 쓰다가 이제야 쓴다. 애들이랑 공원 가서 쉬다가 정말 문득 네 생각이 나더라고.

그래, 아이가 생겼어. 지난번 너한테 편지를 보내고 바로 결혼했고, 별로 지나지 않아 애가 생겼고, 지금은 두 아이를 키우고 있어. 아이들 이름은 정아랑 정휘야.

너무 사랑스러워. 누군가는 신생아 때는 쭈글쭈글하게 생겨서 맘이 안 가다가 점점 정이 들면서 사랑하게 된다고들 말하던데, 아니더라. 태어났다는 걸 알게 된 순간부터, 한아에게 안긴 아이의 실루엣이 보이는 순간부터 이 아이를 사랑한다는 걸 알게 되더라. 아이를 사랑하는 게 너무 당연하게 느껴져서 왜 지금까지 이런 감정을 몰랐나 할 만큼 행복해.

매일매일 조금씩 커 가는 게 보이는데도 정작 시간이 지나고 보면

성장한 모습에 어색하고, 손짓 하나 발짓 하나 말 한마디에도 너무 예뻐서 몸 둘 바를 모르겠어. 모든 부모가 이럴까? 나는 어떻게 자식을 사랑하지 않을 수 있는지 모르겠는데, 아닌 사람도 있나 봐.

정아는 이제 막 8살이 되었는데 벌레라던가 곤충을 꽤 좋아해. 그걸 잡아서 자랑도 하고. 솔직히 약간 징그러워. 첫째는 아빠를 닮는다는 말이 있던데, 너무 아내랑만 똑 닮아서 좀 아쉬웠어. 물론 좋지만.

오히려 정휘가 날 더 닮은 것 같아. 구름 모양을 보면서 어떤 모양인지 상상하거나, 구석에 쭈그려 앉아 땅을 파거나 지구에 사람이 많이 남아 있던 대이주 전에 만들어진 어린이용 애니메이션, 뽀로로라던가? 또봇이라던가? 하는 걸 보거나 하면서 혼자 놀더라고. 되게 차분한 성격인 거 같아.

순간 밖에서 쿠당탕 갑자기 무언가 무너지는 소리가 들렸다. 준휘는 깜짝 놀라 서재 밖으로 뛰어나갔다. 소리의 주인공은 정휘였다. 정휘는 큰 소리에 놀라 몸이 굳어있었다. 곧 달려 나온 엄마와 아빠를 보고 눈치를 보며 횡설수설하더니 정휘의 울음이 히끅히끅 터져 나왔다.

"어, 나, 이거 넣으려고 했는데, 옆에 탁 쳤더니 갑자기 와르르했어. 그게, 어, 으아앙."

옆에서 정아가 이상하단 눈빛으로 쳐다봤다.

"응? 그게 울 일이야?"

정휘는 울다가 말고 누나를 쳐다보다가 더 크게 울었다. 준휘와 한아가 정휘를 안고 토닥거렸다. 정휘의 울음을 어째저째 수습한 뒤 다시 서재로 돌아온 준휘는 기가 쏙 빨린 상태였다.

차분한 성격…이라기보단 차분하게 사고를 치는 성격인 거 같아. 방금도 무언가 부술 뻔했어. 나는 천문 연구센터에서 10년 정도 있다 보니 이제 단기 프로젝트보다는 중장기 프로젝트 진행을 주로 하게 되는 것 같아.

너는 잘 지내? 이제 제4지구 도착까지 얼마 안 남았네. 우주선 전체가 되게 들떠있겠다. 도착까지 남은 한 달도 즐거운 시간이었으면.

준휘는 시계를 봤다.

애들 밥할 시간이네. 10년 후에 다시 보자.

준휘는 딸깍딸깍 소리와 함께 저장을 마치고 빠른 속도로 서재를 벗어났다. 정아와 정휘가 어느새 해맑은 웃음을 띠고 아빠한테 매달렸다. 준휘도 아이들을 마주 안았다.

네 번째 편지

4. 네 번째 편지

“아니, 왜 안된다는 건데?”

정아가 날카롭게 말했다.

“내가 아예 안 된대? 취미는 괜찮다고. 그런데 굳이 그걸 직업으로 해야겠어? 돈벌이도 힘들고… 솔직히 몇 명 빼고는 사회적으로 인정 못 받잖아.”

준휘가 한숨을 쉬며 받아쳤다.

"하고 싶다니까? 사회적 지위고 뭐고 내가 하고 싶은 게 먼저 아니야? 꿈이란 게 성적이랑 상황 맞춰서 되는 거야? 바라는 거, 그게 꿈이잖아."

"알아, 그래도 말이야, 현실이랑 이상은 다른 거야. 네가 그 분야에 누구라도 알아볼 수준의 타고난 재능이 있어? 나는 잘 모르겠다. 그러니까 정아야."

"됐어. 아빠는 결국 날 이해할 생각 같은 거 없잖아. 매번 이해하는 척하면서 결국 자기 의견이 맞다며 관철시키잖아."

"그게 아니라 정아야."

"나가. 나가줘."

침대에 앉아 있던 정아가 몸을 일으켜 준휘를 밀었다. 준휘는 밀려 나가지 않으려 했지만, 준휘를 밀어내려 악을 쓰는 정아의 모습에 힘이 풀렸다. 어느새 준휘는 굳게 닫힌 방문 앞에 서 있었다.

삐빅, 삐리리하는 소리와 함께 현관문이 열렸다. 정휘가 폰을 든 채로 들어왔다. 삐빅, 삐리리하는 소리와 함께 현관문이 열렸다. 정휘가 핸드폰을 든 채로 들어왔다. 준휘는 정휘에게 최대한 밝게 인사하려 애썼다.

"어어, 정휘야. 왔어?"

정휘는 보일 듯 말 듯 미세한 각도로 준휘를 보지 않은 채 고개 숙여 인사하고 준휘를 지나쳐 제 방으로 직진했다. 정아와 정휘의 방문이 둘 다 닫혔다.

준휘는 자신의 서재에 들어가 몸과 마음을 쉬려 했으나 작년에 정아가 공부해야 한다고 하는 통에 정아와 정휘가 쓰는 공부방으로 바뀌었다는 사실을 깨달았다. 준휘가 쓰던, 이제 편지 말고는 아무것도 저장하지 못할 정도로 낡은 컴퓨터는 서재에서 쫓겨나 아내와 함께 쓰는 방 한구석에 밀려나 있었다.

준휘는 잘못 만지면 바스라 질듯한 전선을 잡아 콘센트를 꽂아 전원 버튼을 눌러 컴퓨터가 켜지길 기다렸다. 모니터는 오랜 시간이 지나서야 흐릿하게 켜졌다. 익숙한 손짓으로 폴더를 연 그는 조용히 새 편지를 쓰기 시작했다.

벌써 10년이 지났네. 이젠 자연스레 네 생각이 나더라. 도착까진 정말 2주밖에 안 남았네, 넌. 너의 근황은 항상 비슷할 것 같아 더 이상 무슨 말을 꺼내야 할지 모르겠다. 그러니까, 넌 아직 스무 살이지?

좀 물어보자. 열여덟쯤 되면 부모 마음 정도는 이해할 나이지 않나? 현실 파악 정도는 되지 않아? 왜 노력만 해도 인정받으며 살 수 있는 공부는 안 하고, 재능도 노력도 운도 있어야 먹고 살 만한 힘든 일을 하겠다고 할까? 아예 하지 말라는 것도 아니고, 취미로 하라는데.

모르겠어. 나는 어렸을 때부터 꿈이 이런 거여서 일을 할 때 그다지 힘들지 않은 안정적인 직업을 갖고 남부럽지 않게 사는 게 꿈이 있었기 때문에 이해가 안 돼. 난 내 딸이 힘들지 않길 바랄 뿐인데 왜 정아는 날 밀어내는 걸까?

정휘도 마찬가지야. 분명히 내가 앞에 있고 한아가 앞에 있는데도 유령처럼 지나쳐 제 방에만 틀어 박혀있어. 홀로그램에서 눈을 떼면 감사해야 할 지경이야. 실제로 대화할 수 있는 사람이 눈앞에 있는데 도대체 왜 허상만 보는지 모르겠어.

난 내가 좋은 아빠가 될 거라 생각했어. 아이들의 생각을 이해하고 바른길을 걷게 하는 아빠가 될 거라 생각했어. 그런데 왜 이렇게 쉽지 않을까? 계속 아이들에게 문제가 있는 것처럼 느껴져. 대체 왜 당연한 걸 못 하나 싶고. 이제 곧 어른이 될 애들이 무슨 생각을 하는 지, 아예 생각이란 걸 하는 지도 모르겠고, 저질에 저급스러워 보이는 한 철 유행을 따라가는 모습에 내가 애들을 잘못 키웠나 싶어.

아이들과 멀어질까 겁나. 그렇지만 이해할 수 없어. 스무 살인 네가 말해줘. 내가 틀린 거야? 내가 잘못한 거야? 정아도 정휘도 그냥 하는 대로 두는 게 맞는 거야? 난 무서워. 내가 어느 날 갑자기 별일 아닌 일에 아이한테 화를 쏟아붓게 될까 봐. 스트레스 때문에 아무것도 아닌 일을 예민하게 받아들이게 될까 봐. 어떻게 해야 할까? 너와 편지를 시작하던 시절의 나라면 알까?

방문이 끼익 열렸다. 한아가 피곤한 눈으로 비척비척 걸어들어와 침대 위에 바로 누웠다.

"준휘야, 밥 먹고 싶어."
"조금만 기다려."
"나 며칠째 야근한 거 알잖아~ 집밥 먹고 싶어. 배고파."
"나도 피곤해. 좀 쉬자고."
"그래~ 피곤하면 쉬어야지. 난 배고파 죽겠으니까 혼자 먹고."

한아가 축 늘어진 몸을 다시 일으켜 천천히 방을 나갔다. 준휘는 한아의 비꼬는 듯한 말투에 울컥 반박하려다가 말았다. 준휘는 다시 편지 속으로 들어갔다.

걱정했던 상황이 일어날 뻔했어. 수면 부족 때문에 그럴까? 요즘 천

문학적 금액을 투자받은 프로젝트가 있거든. 내가 팀장이 되었는데 실패했다간 그 돈을 도로 토해내야 할 상황이야.

프로젝트 내용이 어떤지 알아? 과거 관측이래. 우리가 1광년 떨어진 곳의 변화를 1년 후에 아는 것처럼 이리저리 떠돌던 과거의 빛을 인간의 눈에 들어와서 관측할 수 있도록 만드는 게 목표라나.

그러니까, 간단하게 말해서 거울 있지? 그게 빛이 왔다 갔다 하면서 반사되어 나타나는 거잖아. 그렇다면 빛이 1초 동안 가야 하는 거리만큼 떨어져 있는 곳에 거울을 둔다고 치자. 그러면 내가 손을 들었을 때 거울 속 나는 1초 후에 손을 들겠지? 그리고 또 1초 후에야 나는 거울 속 내가 손을 든 걸 볼 수 있는 거고.

그러니까 지금 여기에 베르사유궁전에서 마리앙투아네트가 빵과 케이크를 먹는 모습이 담긴 빛이 반사하고 굴절되어 존재하고 있을 수도 있는 거라고. 그걸 관측할 수 있게 하자는 거야.

내 생각에 이 프로젝트 구상자는 문과일 거야. 그게 쉬우면 역사책이 다른 이유가 있겠어? 과거를 무성 컬러 방송으로 보는 거나 다름이 없는데 참. 너무 어렵다. 힘든 일은 어렸을 때 모두 끝난 줄 알았는데 지금 터지는 기분이야. 예전처럼 모든 게 노력한 만큼 이루어지면 좋

겠다. 그래도 버텨야겠지. 이제 그만 적을게. 물론 읽을 리 없겠지만. 긴 하소연 읽어줘서 고마웠다.

방안에 모니터 소리가 가득하고 본체의 열기가 몸까지 바로 느껴졌다. 준휘는 편지를 저장하고 침대에 몸을 던졌다. 뇌가 꼬인 느낌이었다. 일단 쉬어야겠다.

다섯 번째 편지

5. 다섯 번째 편지

"준휘 교수님!"

윤정이 달려오며 나를 불렀다. 윤정은 이제 졸업까지 논문 하나만을 앞둔 최고참 대학생이었다.

"그래, 무슨 일인가?"
"저 이거 논문 주제로 써도 되나요?"

윤정이 건네준 문서는 내가 서른 즈음에 잠시 조사했던 빛에 대한 연구자료였다. 연구가 중지되고 창고에만 박아두다가 모두가 잊어버린 그 빛이었다.

“그래, 궁금하다면 한번 해보게. 그런데 어떻게 조사할 작정인가? 나도 젊을 때 연구했던 건데, 아무리 머리를 짜내어 봐도 도저히 조사할 방도가 나오지 않더군.”

윤정은 고민하는 듯하더니 일단 연구실에서 찾아보겠다며 사라졌다. 나는 안도했다. 오늘 딸의 인디 밴드공연에 초대받았기 때문이다. 빨리 퇴근하고 정휘와 함께 가기로 약속했다.

나는 6시가 되자마자 연구센터 정문으로 뛰어갔다. 정휘가 큰맘 먹고 빌린 자율주행 택시를 타고 기다리고 있었다.

“아빠! 빨리 가야 해요! 오늘 데뷔 후 첫 단독 공연이라 늦으면 정아 누나 삐져! 그리고 택시 이렇게 잡아두면 돈 나가요! 심지어 자율주행이야! 요금 두 배!”
“최대한 빨리 가고 있다! 조금만 기다려다오!”

찰칵 소리와 함께 문이 닫히고 자율주행 택시가 매끄럽게 이동하기 시작했다. 시시때때로 바뀌는 바깥 풍경이 아니었으면 움직이지 않는 단 생각이 들 정도로 흔들림이 없었다. 안에 구비되어 있는 소소한 간식들을 먹으며 경치 구경을 하다 보니 벌써 도착이었다.

"여기가 과거에 대학로라 불렸던 곳이구나."
"네, 공연 시작 10분도 안 남았으니까 일단 들어가요!"

정휘는 황급히 내 손을 붙잡고 빠른 걸음으로 걸어갔다. 발걸음은 작은 컨테이너 박스 같은 곳에서 멈췄다. 정휘가 작은 문을 가리켰다.

"여기로 들어가면 돼요."
"들어가? 아무리 봐도 너무 작은데?"
"들어가 보시면 알아요. 걱정마시고, 빨리 가요."

의심의 눈초리를 보내며 문을 열자 동굴처럼 밑으로 하염없이 펼쳐진 계단이 보였다. 보기 만해도 관절이 시큰거렸지만, 정휘의 재촉에 어쩔 수 없이 내려갔다. 코너를 도니 아담한 크기의 무대와 사람들이 있었다.

"여기 의자는 없는 거야?"
"잠시만요, 원래는 없는데 정아 누나가 준비해놨대요."

정휘가 어디인지 모를 곳에서 허름한 플라스틱 의자를 들고 왔다. 의자를 내려놓자 퉁 하는 소리와 함께 뽀얀 먼지가 피어올랐다. 나는 의자를 툭툭 쳐서 먼지를 대강 치우고 앉았다. 구석이긴 해도 맨 앞자리라서 사람들의 시선을 샀다. 인디밴드를 좋아하는 노인이라니 신기할 법도 하겠다.

곧 공간이 어두워졌다. 희미한 빛만이 무대를 비췄다. 정아가 나왔다. 받침대에 얹어둔 베이스를 몸에 매고 몇 번 튕겼다. 엄청난 저음과 함께 온몸이 진동했다. 잠깐의 튜닝 후 노래가 시작됐다.

뻔하고 진부한 내용이었다. 고통, 우울, 불안. 그리고 사랑, 희망, 행복. 그럼에도 천천히 빠져들었다. 진부하다는 건 모두가 안다는 거니까. 느껴본 감정들이 덜 다듬어진 언어와 음악으로 다가와 스며들었다.

어느 순간 정휘가 다가와서 손수건을 내밀었다. 눈물이 흐르고 있었다. 주책이다 싶어서 황급히 눈물을 닦았다. 정휘에게 손수건을 돌려주었지만 몇 번이나 더 빌려야 했다. 조금 부끄러웠다.

공연이 끝난 후 관객들은 나가고 밴드의 멤버들과 그 지인들만 공연장에 남았다. 아무래도 아버지가 온 건 정아밖에 없는 듯했다. 정아가 웃음을 참으며 내게 걸어왔다.

“아빠, 우리 노래가 그렇게 슬펐어요? 얼마나 울었으면 그 눈치 없는 정휘가 손수건을 줘.”

“눈치가 없긴 누가 없어. 그냥, 사람에 관심이 없는 거 뿐이라니까?”

“노래를 듣는데 눈물이 나는 걸 어떡하니… 정휘 너도 솔직히 슬펐지?”

“저요? 저는 그냥 아빠 우는 것만 보고 있었는데. 엉엉 우시던데요.”

나는 멋쩍게 웃었다.

“아무튼 정아야, 멋지다. 장하다. 역시 정아 네가 만든 노래라서 좋더라.”

정아가 빙긋이 웃어 보였다. 곧 다른 밴드 멤버들도 와서 내게 인사를 했다. 정아가 상견례라도 하는 듯 서로에게 서로를 소개했다. 조용해 보이는 외견과는 다르게 살갑고 밝은 사람들이었다. 이런저런 이야기를 하며 흐름을 타다가 밖으로 나와 밴드 멤버들끼리 가는 뒷풀이에 참여하려는 순간, 징 소리를 내며 핸드폰이 울렸다.

윤정이었다. 이미 부재중이 10건 넘게 쌓여있었다. 나는 양해를 구하고 떨어진 곳으로 가서 전화를 받았다.

"교수님! 찾은 거 같아요!"

"어떤 거 말하는 건가. 새 연구 주제?"

"아뇨, 오늘 아침에 말씀드렸던 거 있잖아요. 창고에서 찾은 거. 연구할 방법이 있어요."

"방법을 찾았다고?"

"네, 그래서 교수님 도움이 필요한 데 좀 와주실 수 있나요?"

원래 대로라면 퇴근한 후에 제 발로 직장에 걸어 들어가는 짓은 절대로 하지 않았을 것이다. 하지만 궁금했다. 내가 가장 똑똑한 시절 몇 주를 찾아도 나오지 않던 방법을 찾아냈다고? 이렇게나 빨리? 그리고 순수한 호기심도 있었다. 스무 살 때 본 빛이 무엇인지, 평소에는 잊고 살았지만 정작 그 정체가 밝혀질 수 있다고 하자 참을 수 없는 궁금증이 솟아올랐다.

"곧 가겠네. 조금만 기다려줘."

뚝 전화를 끊은 나는 정아에게 가서 뒷풀이에 참여하지 못할 것 같다고 말했다. 정아는 흔쾌히 보내주었다. 같이 밴드를 하는 사람들이 진심으로 아쉬워하는 것 같아 고마웠다. 정아의 손에 내 카드를 쥐어주고 정휘에게 부탁해 택시를 불렀다. 정휘는 의문스러워하면서도 택시를 불러주었다. 요금 두 배짜리 자율주행 택시는 나를 연구센터까지 신속 정확하게 데려갔다. 뛰어서 윤정의 연구실로 들어가자 윤정이 나를 잡고 참았던 말을 쏟아냈다.

"교수님, 이거 어디서 발견하셨어요?"

빠른 속도로 묻는 윤정에게 얼떨결에 답했다.

"스무 살 때 살던 방에서."
"됐다. 거기가 어딘데요? 잘못 본 건 아니죠?"

나는 그제야 정신이 들어 윤정을 진정시켰다.
"일단 진정하게. 그래서 이 프로젝트를 해결할 방법이 뭔가?"
"교수님이 발견하신 과거 관측 프로젝트요."
"하지만 그건 절반의 성공으로 끝났잖아? 워프 기술을 응용해서 빛으로 과거를 볼 수 있게 하긴 했지만 거의 대부분 빛이 반사되고 굴절되며 파편으로 나뉘어져 퍼지기 때문에 사실상 관측 불가나 마찬가지라고. 원하는 시간대의 과거를 선별하기도 쉽지 않고."
"하지만 예외 상황이 있었죠. 밀폐된 공간일 때. 그때는 과거의 빛이 대부분 남아 있었어요. 밀폐된 공간에 사과를 두고 몇 달 후에 바깥에서 관측했을 때 사과는 분명히 부패 되어있어야 함에도 불구하고 신선한 상태로 보였죠."

"그래서?"

"뭐, 집이라는 공간은 완전히 밀폐된 공간은 아니니까 훨씬 빛이 덜 남아 있긴 해도, 운이 좋으면 수확이 있을 수도 있다는 거예요. 집 한 번 헤집어보자 이거죠. 제가 망원경이나 현미경 같은 걸 기가 막히게 다루잖아요. 애초부터 제가 대학 합격한 것도 특채로, 망원경 갖고 새로운 성운 발견해서 그런 거 아닙니까?"

20분 후, 윤정과 나는 내 옛날 집 앞에서 있었다. 다행히 방이 비어 있기도 하고, 집주인이 천문학 분야에서 나름 이름있는 나와 친분이 있는 걸 자랑스러워하는 덕에 빠르게 방에 들어갈 수 있었다.

다행히도 방은 조금 얼룩덜룩해지긴 했어도 40년 동안이나 흰 벽지를 유지하고 있었다. 빛이 덜 흡수되어 있다는 뜻이다. 윤정은 나와 끙끙대며 가지고 올라온 관측기구를 설치하고 눈을 렌즈에 대어 빛을 찾기 시작했다. 윤정은 연구센터 안에서 기계를 가장 잘 다루는 사람 중 하나였다. 얼마나 지났을까, 집에 안 들어온다고 한아가 걱정하지 않을까 하는 생각이 들 때쯤 윤정이 '어!' 소리를 냈다.

"교수님, 그때 저 앞에 집 옥상에 고양이 살았어요?"

"어? 맞아. 그랬었지."

"여기 초점 어느 정도 맞춰 뒀으니까 보세요. 저기 옆에서 컴퓨터로 글 적고 있는 약간 음침해 보이는 사람은 누구죠?"

"그거 날세."

"아, 어쩐지 퇴페미가…."

"그래. 혹시 같이 볼 순 없겠나?"

"잠시만요. 같이 챙겨온 거 있죠?"

"이거 말하는 건가?"

"네, 잠시만요. 이걸 이렇게, 여기다가 설치하고 나면…."

윤정은 손재주가 매우 좋은 편이었다. 뚝딱하고 나니 어느새 홀로그램으로 예전의 내 방이 나타났다.

"그 빛은 창문에서 보였어. 이거 더 크게, 망원경 대서 볼 순 없나?"

"해볼게요."

컴퓨터에 앉아있던 스무 살의 내가 엔터키를 쳤다.

"시간이 별로 없네! 빨리할 순 없나?"

"거의 다 됐습니다."

마치 확대되는 것처럼 홀로그램이 커지더니 창문 너머 밤하늘의 일부만 보였다.

"혹시 모르니까 녹화할게요. 연구센터 가서 확인하게."

이제 곧이다. 나와 카메라를 켠 윤정은 홀로그램에 집중했다. 빛이 보였다. 좀 더 크게 본 빛은 별이나 행성에 빛이 비친 거라기보단, 마치 폭발과 같았다. 하지만 그 이상은 아무것도 보이지 않았다. 아쉬움과 허무감이 온몸에 퍼졌다. 그때 윤정이 말했다.

"성공이네요."
"그게 무슨 소린가? 아무것도 못 봤는데."
"일반적인 별이 아니었잖아요. 지금까지 못 찾을 만했네. 배운 걸로 봐서는 폭발일 확률이 크고, 우주의 시간 40년은 그다지 크지 않으니까 제대로 관측하면 폭발 당시의 부산물이 남아 있을 가능성이 커요. 곧 제대로 된 천체 관측용 망원경 들고 관측해보죠."

다음날 밤, 나와 윤정은 2100년에 마지막으로 쏘아 올린 우주 망원경을 사용해 그 빛의 정체를 찾아내기로 했다. 윤정은 60년 전, 자신이 태어나기도 전의 망원경을 움직이는 것치고 매우 능숙하게 망원경을 다뤘다. 30분 정도 이리저리 망원경을 돌리던 윤정은 뭔가 발견한 듯 멈칫했다.

"교수님, 이리 와서 보실래요? 좌표상 여기가 확실한데…."

"뭐가 있길래 그러나? 외계인이라도 발견했어?"

나는 장난스럽게 말하며 망원경을 들여다보았다. 그곳에는 우주선의 잔해와 사람들의 사체가 떠다니고 있었다. 가장 큰 표면 조각에는 음각으로 글이 적혀 있었다. MG-2100. 어머니의 우주선이었다.

곧 세계가 발칵 뒤집혔다. MG-2100 외에도 다른 이주 후기의 우주선들 잔해가 속속들이 발견되기 시작했다. 이유는 이주 후기에 발견된 새로운 워프 기술이었다. 원래 만들어져 있던 웜홀을 이용하던 이주 초기와는 다르게 후기에는 편의를 위해 새로운 웜홀을 만들었지만, 거기에 치명적 오류가 있었던 나머지 많은 우주선들이 워프 도중 튕기거나 폭발해버리고 말았던 것이다. 그리고 그 우주선 중에는 어머니의 우주선도 있었다.

***

엄마, 왜 나는 당신을 그렇게도 원망했을까요. 당신은 겨우 스무 살이었을 뿐인데. 자신의 미래와 어린 아들을 저울질하는 가혹한 일 따윈 겪지 않아야 할 나이였는데. 함부로 당신을 용서했어요. 용서가 아니라 위로를 받아야 하는 사람이었는데, 저는 항상 당신을 이해하기보단 제 감정이 앞섰죠.

나는 당신을 저주하며 어린 시절을 보냈어요. 당신이 없어도 잘 산다는 걸 아등바등 증명하려 열심히 공부했어요. 하지만 대학에 합격하자 바로 생각난 건 아이러니하게도 엄마였어요. 당신의 불운을 빌며 저주했었죠. 그 뒤로도 문득문득 엄마가 떠올랐어요. 10년에 한 번 정도요. 그때마다 저는 당신에게 제 행복을 자랑하고 당신을 깎아내리고 제 힘듦을 하소연하기도 했죠. 당신은 이미 없었는데.

당신이 나 대신 당신의 미래를 택했을 때의 심정은 어땠을까요. 우주선에서 내 20년이었던 한 달을 지내는 동안 어땠을까요. 끝내 저의 돌사진을 쥐고 꿈꾸지 않았던 곳에서 죽어 갈 때의 심정은 어땠을까요. 저는 대체 어떤 사람을 원망하며 지낸 걸까요. 이미 그 사람은 스스로를 갈기갈기 찢으며 자책했을 텐데. 미안해요. 너무 늦어서 미안해요. 부디 그곳에서는 자신을 원망하지 않기를.

마치는 글

글을 쓰는 건 즐겁지만 그만큼 무거운 일인 것 같아요. 글을 쓰는 동안 계속 진행이 되지 않아 힘들었던 것 같습니다. 매번 글을 읽기만 했지 쓴 적은 없었는데, 처음 글을 쓴 게 이렇게 본격적인 작업일 줄 몰랐네요.

아무쪼록 이 책을 읽으시고 시간 낭비는 아니었다 정도만 느끼셔도 목적은 달성한 거라 생각합니다.

함께 한 친구들이 글을 마무리하고 먼저 전자책으로 출판할 때 저 혼자 뒤처지는 느낌이라 마음이 무거웠는데, 응원해주시며 기다려주신 이소희 작가님과 다른 친구들에게 너무 죄송하고 감사한 마음입니다.

김시은

작가명: 김시은

꿈: 상경계열

취미: 뜨개질

이상형: 엔시티 런쥔, 김시온

좋아하는 것: MAX - Cheklist

자연을 찾는
고등학생의 여행
김시은 지음

남쪽의 돝섬

나는 자연을 찾기 위해 여행하기로 했다. 자연은 생각보다 가까이 있었다.

경남 창원에 위치한 돝섬은 유람선을 타고 10분이면 갈 수 있는 섬이다. 짧은 시간이지만 갈매기들이 바다 위를 날아다니는 모습을 가까이서 볼 수 있었다. 선착장에 도착해서 조금 걸으면 파도 소리 둘레길을 만날 수 있다. 섬 바깥을 돌면서 섬을 구경할 수 있는 길이었다. 그 길을 걷다 보면 시원한 파도 소리를 마음껏 들을 수 있었는데, 시원하고, 풀들이 많아서 자연을 한 몸에 느낄 수 있었다.

바다가 품고 있는 섬의 길을 걷다 보면 다양한 사람들도 만날 수 있었다. 낚시하는 사람, 바람맞으며 이 섬을 즐기고 있는 사람 등 각자의 방법대로 섬에서 즐기고 있었다. 사람들의 밀짚모자며, 바람에 잘 날리는 찰랑한 옷들은 이 섬과 어울렸다.

나는 그 섬을 더운 여름에 다녀왔음에도 시원한 섬이라고 느꼈다. 단순히 바닷바람이 시원해서가 아닌 그 풍경이 시원하다고 느끼게 해주는 섬이었기 때문이다. 숲속 길은 내가 자연에 안긴 것 같았고, 벌레들도 시원한 소리를 내며 섬을 더욱 아름답게 해주었다.

또, 돝섬은 출렁다리가 있다. 그 장소야말로 돝섬을 제대로 느낄 수 있는 곳이라고 생각한다. 약간의 스릴과 바로 옆 바다의 시원한 바람, 자연들까지 완벽한 섬이다. 가족들과 여행을 간다면 온 가족을 초록빛으로 물들일 수 있는 섬이라 생각한다.

"우리는 아름다움, 매력, 모험으로 가득한

멋진 세상에 살고 있습니다.

눈을 뜨고 찾기만 하면

우리가 할 수 있는 모험은 끝이 없습니다."

-자와할랄 네루-

자와할랄 네루의 말처럼 눈을 뜨고 찾기만 하면 우리가 할 수 있는 모험은 끝이 없다. 눈을 뜨면 보이는 곳이 곧 여행지일 수도 있는 것이다. 난 옛날에는 배를 타거나, 비행기를 타야만 여행인 줄 알고 있었다. 그래서 이 이야기의 내용에는 기차를 타거나, 배를 타거나, 차를 타고 멀리 여행을 가는 이야기밖에 없다. 하지만 이제는 걸어서 여행도 해보고 싶다.

남쪽의 부산

부산에는 바다가 있다. 광안리 바다는 땅거미가 질 때 도착하였다.

'다이도코로'는 광안리에서 바다를 따라 걷다 보면 광안리 바다의 끝에 도달할 때 만날 수 있는 일본 가정식 음식점이다. 나는 오픈 시간에 맞추어 방문하였는데, 가게 내부는 일본 만화에서 볼 수 있는 풍경이 펼쳐진다.

음식을 먹으면서 내가 마치 일본에 온 것과 같은 느낌을 받을 수 있었다. 일본의 유명한 캐릭터의 피규어도 있으며, 일본식 음식으로 잘 구성되어 있었다. 모든 음식이 미각과 후각, 시각까지 즐겁게 해주었다.

다음으로는 골목을 구경했다. 골목 여행을 하며 길거리 음식도 먹었는데, 따뜻한 음식으로 마음까지 따뜻해져 오는 기분이었다.

부산의 바다 위 해상케이블카는 신기한 경험을 하게 해주었다. 바다를 위에서 볼 수 있는 것이 쉬운 일은 아니다. 하지만 해상케이블카를 타면 바다를 위에서 볼 수 있을 뿐만 아니라, 가까이서도 볼 수 있다.

해상케이블카는 이동 수단으로써의 장점도 있지만, 자연을 구경할 수 있는 것도 장점이다. 해상케이블카를 타고 간다면 바다의 중심을 통과해서 갈 수 있다. 바다 위 유리로 된 건축물을 걸으면 바다와 가장 가까이 있을 수 있는 것 같아 기분이 묘하기도 했다.

부산을 여행하며 바다가 있는 지역에 대해 궁금증이 생겼다. 지하철을 타고 몇 분만 걸어도 하늘과 맞닿아있는 바다가 보인다는 것은 가슴을 뻥 뚫리는 느낌을 준다. 건물들 사이사이로 보이는 바다는 예뻤다.

"당신의 진정한 여행자는 지루함을

고통스럽기보다는 오히려 기분 좋게 생각합니다.

그것은 그의 자유, 그의 과도한 자유의 상징입니다.

그는 자신의 지루함을 단지 철학적으로

받아들이는 것이 아니라

거의 기쁨으로 받아들입니다."

-올더스 헉슬리-

진정한 여행은 지루함도 추억이 된다. 그 당시에는 고통스럽고, 지루했던 일들이 지나고 보면 추억일 때가 있다. 혹은 진정한 여행을 해서 1시간을 기다려도 즐거울 때도 있다.

옆 사람과 이야기를 할 때는 기다림도 오히려 기쁨이다. 지루함을 극복하고 기쁨으로 승화시키는 것은 생각보다 어렵다. 하지만 무언가에 얽매이거나 신경을 쓰지 않고 진정한 여행을 한다면 그것을 이룰 수 있을 것이다.

난 가끔 항상 보던 곳이 아닌 새로운 곳을 쳐다보는 것을 즐긴다. 10년 가까이 살고 있는 집의 현관이라도 그 현관의 꼭짓점을 하나하나 쳐다본 적은 없을 것이다. 바쁘게 살다 보면 하늘도 보지 못하고 산다는 말이 있다. 가끔 하늘을 쳐다보거나 익숙한 길이라도 바닥의 무늬를 관찰하길 바란다. 새로운 걸 발견했을 때 드는 기분은 모두가 느껴봤으면 좋겠다.

지금 이걸 밖에서 읽고 있다면 하늘을, 건물 안이라면 창문 밖의 하늘을 바라보길 바란다. 나는 바다에서 바다 끝을 보는 것을 즐겨하는데 우리나라는 지평선을 볼 수 있는 곳이 흔하지 않다. 바다와 지평선이 만나는 곳에서 바다 끝을 보는 경험도 해보길 바란다.

〈광안리 바다〉

마지막 여행, 전주

나는 주로 남쪽 지역에서 자연을 찾았다. 하지만 이번에는 서쪽 지역에서 자연을 찾아보기로 하였다. 이 이야기의 마지막 여행은 전주 여행이다.

'색장정미소'는 전주한옥마을에서 차로 7분이면 도착하는 곳이었다. 빨간 지붕은 세월의 흔적이 고스란히 느껴진다. 장식들도 정감이 갔다.

난 그곳에서 쌍화차를 처음 마셔봤다. 따뜻하고 상큼했다. 솔직히 말하자면 보약이라는 소리를 들어서 맛이 쓸 것 같았다. 걱정과는 다르게 상큼해서 맛있게 먹었다.

〈색장정미소〉

숙소가 한옥 마을 근처였다. 그래서 전주 한옥 마을의 골목을 돌아다니게 되었고, 그게 이 박물관을 방문하게 된 계기이다.

이 '색장정미소'는 마치 과거로 돌아간 느낌을 준다. 그곳에는 여러 가지의 테마가 있는데 특히 체험 형식이 많았다. 우물에 있는 물을 퍼 올려볼 수도 있고, 옛날 교실에 낙서도 할 수 있고, 길을 걷다 보면 아이스크림도 나누어 주신다. 겨울에는 군고구마를 구워주신다고 한다. 겨울에도 한 번 방문해 보고 싶은 마음이 들었다.

오락실도 재현되어 있는데 실제로 즐길 수 있다. 고전 게임도 해보고, 냇가에서 손수건과 같은 것을 옛날 방식으로 빨아 볼 수도 있다. 노래방 기계와 탁구대도 준비되어 있다.

전망대에 올라가면 한옥 마을의 풍경도 구경할 수 있고, 시원한 바람이 불며 옛날 놀이터처럼 꾸며져 있다. 전망대는 4층인데 한 층 더 올라갈 수 있다. 높은 곳에서 전주 한옥 마을을 구경하는 경험을 꼭 해봤으면 좋겠다.

그때 그 시절을 떠올리게 해주고, 체험해 볼 수 있는 기회를 주는 곳이다. 부모님은 잊지 못할 추억을 구경하고, 자녀들에게는 신선함을 주는 곳이다.

나에겐 1970년대는 할머니 시대이다. 그래서 그 시절에 10대였던 할머니와 함께 겨울에 다시 한번 방문하고 싶다. 그때도 추억을 담은 공간으로 계속 남아줬으면 좋겠다.

첫 숙소는 카라반이었다. 성인 3, 4명 정도 놀 수 있는 수영장도 있었고, 바비큐도 할 수 있는 곳이었다. 카라반도 넓었다. 숙소는 항상 호텔이었는데 카라반을 가보니 색달랐다.

자연과 가까웠고, 저녁에도 자연에서 놀 수 있다는 점이 마음에 들었다. 가을이라서 카라반 앞으로 날아다니는 잠자리도 있었다. 또 바비큐를 먹으면서 하루가 가는 것을 보는데 행복했다.

아무래도 야외에서 있는 시간이 많아지다 보니 벌레들을 많이 만났는데 진정한 여행을 했기에 고통스러울 수 있는 것도 기쁨으로 받아들일 수 있었다. 이렇게 자연과 가까이 있다고 말이다.

마치는 글

벌써 책을 완성했다는 사실이 믿기지 않습니다. 저는 고등학교에 입학하면서 많은 것을 경험하고 싶다는 마음이 있었습니다. 그 생각으로 이렇게 결과물을 내다니 아직도 놀라운 것 같아요. 많은 도움을 주신 작가님에게 고맙습니다.

에세이를 쓰면서 앞으로 있을 고등학교 생활에 중요한 수행평가를 잘 해낼 수 있는 능력도 기를 수 있었던 것 같아요. 시간이 된다면 소설도 써보고 싶습니다. 또 새로운 경험을 할 수 있기를 기대하고 있거든요. 작가하는 직업을 가진 사람을 만나 뵙고 소통하는 것은 즐거웠고, 뜻깊은 시간이었습니다.

고등학교 1학년은 아직 진로를 정한 학생이 적은데, 진로를 정해야 하는 압박을 느끼는 나이인 것 같다고 느끼고 있습니다. 하지만 저와 모든 학생들에게 하고 싶은 것을 즐기면서 천천히 깨달아도 괜찮다고 말해 주셨으면 좋겠습니다. 인생에서 한 번뿐인 지금 이 순간을 걱정으로만 살 수는 없으니까요. 모두 행복하셨으면 좋겠습니다.

저의 글을 읽어주셔서 감사합니다.

박여진

작가명: 박여진

좋아하는 도서: <기분은 노크하지 않는다>

좌우명: 투혼투지

취미: 음악 감상, 야구 보기

좋아하는 가수: 뮤즈, 알렉산더 진,
밴슨 조이, 루미너스

좋아하는 음식: 양배추, 귤

좋아하는 구단: 롯데 자이언츠

황토전
박여진

제1장

황토와의 첫 만남은 아주 오래된 일 같다. 느끼기로는 호랑이가 담배 피던 시절인데, 그리 오래되지 않았다. 게다가 황토는 비흡연자였다. 비록 그땐 그게 약이라고 전해졌지만, 황토는 풍수지리나 그 어느 미신도 믿지 않는 어딘가 비뚤어진 아이였다. 태어날 때부터 그랬다. 따뜻한 옷이 아니면 입지 않았고, 간이 된 음식은 보지도 않았다. 그 큰 집에 종이라고는 우리 가족뿐이던 황 씨네는 결국 황토를 데릴사위로 보내버렸다.

황토가 장가갈 때 즈음 나도 황토의 종으로 보내졌다. 황토는 못된 남편이었다. 부인의 배에서 나온 아이를 바로 눈앞에서 치워버리려 했고, 막 출산한 아내의 얼굴에 시금치 무침을 던졌다. 이유는 내가 그날 점심 시금치 무침에 간을 너무 세게 했기 때문이었다. 무능력하고 못된 황토는 나를 때리지 않았는데 다들 같은 고향 사람만 편애한다고 말했다. 황토가 죽었을 때 황 양반 빼고는 아무도 울지 않았다.

또한 황토의 부인은 그 자리에서 음식만 먹으며, 바람 피던 남자와의 혼례 생각뿐이었다. 황토의 딸 소는 제사상을 먹어 치웠다. 나는 황토의 막내아들 달과 손장난을 치고 있었다. 추모라고는 단 한 사람뿐인 장례는 그렇게 시작해 그대로 끝났다.

황토와의 첫 만남은 아주 오래된 일 같다. 느끼기로는 호랑이가 담배 피던 시절인데, 그리 오래되지 않았다. 게다가 황토는 비흡연자였다. 비록 그땐 그게 약이라고 전해졌지만, 황토는 풍수지리나 그 어느 미신도 믿지 않는 어딘가 비뚤어진 아이였다. 태어날 때부터 그랬다. 따뜻한 옷이 아니면 입지 않았고, 간이 된 음식은 보지도 않았다. 그 큰 집에 종이라고는 우리 가족뿐이던 황 씨네는 결국 황토를 데릴사위로 보내버렸다.

소는 그대로 김 씨네 둘째 아들과 결혼했다. 둘째 아들은 열다섯이었고, 소는 열여덟이었다. 마침 내가 김 씨네 장녀의 종과 정을 나눌 때라 쉽게 이야기가 오고 갈 수 있었다. 황토의 부인은 이고동의 부인이 됐다. 얼마 지나지 않아 다른 사람과 바람난 걸 보니 부인도 좋은 사람은 아닌 듯했다.

"배씨, 배씨. 우리는 어디까지 가는 겁니까?"

달이 물었다. 그때 나는 아무런 목적도 목적지도 없이 다니는 중이었기 때문에 그 어떤 대답도 할 수 없었다. 어린아이를 데리고 고생만 시킨다는 생각에 죄책감이 마음을 가득 채웠다.

"왜 어머니랑 같이 살지 않고 나온 거예요? 저희도 어머니랑 계부랑 함께 살면 안 됩니까?"

달의 물음은 여관에 도착할 때까지 계속됐다. 그 동안 나는 성의 없이 대답하며 버텼다. 여관에 도착하면 술을 마시고 앞으로의 계획을 세울 셈이었다. 여관에서도 달의 입은 멈추지 않아 술을 마시지 못했지만, 달이 잠들었을 때 달빛으로 종이를 밝혀 장래에 대해 계획했다.

산 고개 두 번 넘어 나온 큰 고을에 우리는 정착했다. 마을 사람은 다들 우리를 부자 관계로 알았다. 달은 오히려 그것을 반겼다. 황토가 아비인 것보다 내가 아비인 게 낫기 마련이었다.

"배황달, 저 검은 대문 집의 아가씨랑 여종이 산 너머 옆 고을에 가신대."

달과 함께 짐을 옮기던 전길동이 집에 와 말했다. 나는 자는 척 슬그머니 눈을 감고 젊은것들이 무어라 얘기하는지 들었다. 관심을 가지면 사춘기 청년이 된 달이 버럭버럭 화를 내기 일쑤였다.

그날 저녁, 달은 나에게 옆 고을까지 짐꾼 일을 하러 가야겠다고 전했다. 옆 고을로 가는 가장 짧은 길은 호랑이가 나타나는 산을 넘어야 하기에 둘러 가면 시간이 좀 걸릴 수도 있었다. 달은 어미도 아비도 닮지 않아 안전을 제일로 여기는 청년이었다. 아마 시간이 걸려도 안전하게 산을 돌아가는 길을 택할 것이다.

"그래, 최대한 빨리 와라."

다음날 달은 전길동과 함께 검은 대문집 짐꾼으로 마을을 떠났다. 변명을 해보자면, 달은 첫째도 둘째도 안전을 추구하는 사람이기 때문에 그 말 한마디에 서두를 거라고는 생각하지 않았다. 언제나 그랬다. 언제나 나는 보채었고, 달은 안전하게 집으로 돌아왔다.

"황달 아범, 청년은 좋은 곳으로 갔을 거요."

옆집 아낙네가 초상난 집 한복판에서 내게 말을 건넸다. 황토 녀석의 초상과는 전혀 다른 모습이었다. 모두가 달을 추모했다. 달과 친밀했던 이들에게는 누구나 위로의 말을 전했고, 함께 노래를 불렀다. 정말이지 황토의 장례와는 너무나 다른 모습이었다.

집을 떠난 지 몇 주 만에 달은 시신이 되어 내 앞에 나타났다. 전길동과 여종의 시신은 도무지 찾을 수도 없었고, 피 묻은 옷이나 흩어진 짐만 찾았다고 들었다. 고을에서 파견된 이들은 내게 달이 아가씨와 함께 도망치다 산에서 굴러떨어져 죽었을 것이라 전했다.

장례는 순식간에 치러졌다. 달이 좋은 곳에 묻히리라 기대하지는 않았지만, 달 인품과 떠돌이 이야기가 주변에 멀리 퍼져 좋은 자리에 잠들 수 있었다. 듣기로는 검은 대문의 아가씨도 그 근처에 묻힌 것 같았다. 그에 대해서는 크게 신경 쓸 겨를이 없었다.

달이 죽고 꿈에서 자주 황토가 나왔다. 주로 어릴 때 모험하고자 했던 나와 고상한 척 마루에 앉아 서당 책을 읽는 황토가 시답잖은 말다툼을 했다. 그도 아니면 장가간 황토가 결혼 생활에 진절머리가 났다며 내게 투덜거리고는 계절에 구할 수도 없는 음식을 만들라 명령했다.

꿈을 꾸고 나는 마음이 괜히 불편해서 골짜기의 절에 가 시간을 보냈다. 황토와 어린 시절을 보낸 탓에 나도 다른 믿음이 있던 것은 아니라 풍경 보는 게 목적이었다.

******

황토가 혼인을 올리기 전(물론 그때도 성질은 틀려먹었다), 꼬마 신랑이 될 뻔했을 때 반항하던 적이 있었다. 그 정도가 아주 심해서 마찬가지로 어렸던 나는 주제도 모르고 주먹을 날렸다. 주변에 어른은 황토의 어머니뿐이었다. 다행히 한동안 황토는 얌전해졌고, 덕분에 나는 조용히 넘어갈 수 있었다. 그 후로 황토는 나를 크게 벌한 적이 없었다.

우리가 만난 지 십 년이 넘었을 때도 황토는 비뚤어진 심보로 멋대로 살았다. 그래, 어쩌면 이것 또한 변명이다. 변명쟁이는 늘 변명한다. 변명쟁이 나 배어덕은 회고한다. 나는 황토의 폭력과 괴롭힘을 막을 수 있었다. 황토의 과잉된 감정을 달랠 기회도 있었다. 그때 나는 무얼 했던가. 나는 오히려 위로받고 있었다.

언제인가 황토는 부인의 바람을 알아차렸다. 얼굴을 봐서는 그렇게 화가 난 것처럼은 보이지 않았지만, 그는 장독이건 무엇이건 간에 마당에 있는 것은 다 던지고 깨뜨렸다. 마침, 머무르던 황토의 어머니가 그 모습을 보고 황토를 다그칠 때, 황토는 태연하게 근처를 지나가던 개똥이가 담장 너머로 돌을 던졌다고 거짓말했다. 나는 생각했다.

'저 지나친 행동을 보라지, 모자라기 짝이 없어…. 저것보단 내가 낫구먼. 저러니 마을에서 욕이나 들어먹고도 질기게 사는 거야. 자기가 해 놓고 발뺌하는 모습을 봐. 개똥이 부모만 힘들겠어.'

비겁한 건 나였다. 심지어 나는 정의의 사도가 된 것처럼 개똥이의 상황에 분노하기까지 했다. 나는 그럴 자격이 있었나. 과거를 회고하다 사람의 이중적인 면모에 숨이 멎을 것 같았다. 헐떡거리며 폐에 공기를 집어넣고 빼기를 반복했다. 모랫바닥에 쓰러져 있었지만, 주변에는 아무도 지나가지 않았다.

****

"괜찮아요?"

눈을 떴을 때는 근처 오두막이었다. 문을 열고 나가니 한 사내가 쭈그리고 앉아 담배를 피우고 있었다. 사내는 나를 위아래로 훑어보았다. 낯선 이가 텅 빈 눈으로 나를 판단하는 것 같아 기분이 좋지 않았다.

"어디 사람입니까? 내 여기 와서 사람을 따로 보게 된 일이 없어서 하는 말입니다. 마을에서 산골짜기까지 오는 사람은 스님뿐인데, 스님은 마을 외곽의 한 노인에게 관심을 쏟느라 한동안 오지도 않고 말이지."

사내는 자신이 말하고는 낄낄 웃었다. 눈과 표정을 보면 어디 길바닥에 버려진 시체 같은데, 머리와 옷차림이 깔끔하고 이가 하얗다. 그 모습이 이질적이라 계속 시선이 갔다.

"난 고을 안쪽에 사는 배어덕입니다. 요즘 사는 게 무료해 마을 여러 군데를 다니고 있습니다."
"그렇군."

사내는 먼저 질문한 사람치고는 영 관심이 없는 듯 언덕 아래 경치를 살폈다. 당신은 뭡니까? 까칠하게 질문하고 싶은 마음이 가득했지만 참았다. 황토와 함께 생활하고 깨달은 것은 괜히 질문하지 않는 게 좋다는 것이었다. 특히 질문하고 대답에는 신경 쓰지 않는 게 황토의 특기였다.

"날이 어둡네. 조금만 올라가면 아내와 아이들이 있는 내 집이 있으니 자고 가는 게 좋겠어."

"고맙습니다."

사내가 그리 높은 지위의 사람으로 보이지는 않았지만, 괜히 존댓말을 쓰게 됐다. 황토와 닮은 탓이었다. 어쩌다 저 사내는 악마의 모습을 하고 있나.

사내의 말대로 얼마 올라가지 않아 집이 보였다. 마당에는 사내와 전혀 닮지 않은 아이 두 명이 뛰고 있었다. 아이들이 "아버지!"하고 사내를 불렀을 때 나는 깜짝 놀랐다. 저 사내도 두 아이의 아버지였다는 것이 어째서인지 놀라웠다. 생각해보면 황토 또한 소와 달을 아래에 두었으니 그리 놀랄 건 아니었다.

곧 가마솥에서 밥을 지어 온 사내의 부인이 사내를 반겼다.

"절에 사람이 쓰러져 있더라고. 이름은 배어덕이라 하더군. 날이 어두워져 내려가던 걸 말리고 데려왔어."

사내의 부인과 인사를 나누고 사내를 따라갔다. 사내는 집 뒤로 향했다. 사내의 발길 끝에는 사람의 소리라고는 할 수 없는 울음이 들렸다. 사내는 밧줄로 목이 묶여있는 염소에게 주변의 풀을 뜯고 먹였다.

"오래전부터 염소의 눈은 슬퍼 보였다네. 저 눈을 보면 늘 부인이 떠올랐지. 부인을 보면 언제나 염소의 눈이 떠올랐고."

나는 사내가 부인을 동정한다고 생각했다. 황토도 종종 자기 부인을 동정하곤 했다. 얼마 가지 않아 자신이 바람맞았다는 것을 알아차려 동정과 같은 감정은 일절 남지 않았지만 말이다. 사내의 부인도 사내가 아닌 다른 누군가를 사랑할까. 그렇다면 필시 이 가족은 불쌍한 가족이겠지.

"밥 드시러 오세요!"

큰 목소리를 낼 줄 모를 것 같던 부인이 우리에게 외쳤다. 사내가 내 손을 붙들고 아이들에게로 향했다.

"간이 덜 되어있어 어떨지 모르겠는데…. 맛이 없지는 않을 겁니다."

나는 깜짝 놀랐다. 어쩜 이리도 황토네와 닮은 가족인지! 나는 황토의 입맛을 떠올리며 오랜만에 심심하고 밋밋한 음식을 먹었다.

"그러고 보니, 이름이 어떻게 되십니까?"

밥을 거의 다 먹어갈 무렵 내가 물었다. 사내도 자신의 이름 소개를 까먹었는지 화들짝 놀랐다. 이내 우리 둘은 머쓱한 듯 웃었다.

"홍토요."
"황토라고요?"
"아니, 아니, 홍토. 황토라니. 사람 놀리쇼?"

사내, 홍토가 낄낄 웃었다. 이런 우연이 있을 수가 있나. 황토와 사내는 이름마저 비슷했다. 나는 그 후로 더 이상 홍토와 황토를 구분하지 못할 지경까지 왔다. 분명 환경과 조금의 성격이 달랐음에도 불구하고 어째서인지 그 둘을 분리하여 보지 못하였다.

해가 완전히 지고 어두워져서도 대화를 나누었다. 우리의 대화는 막힘없이 부드럽게 이어졌다. 가족 이야기도 하고, 자신의 취향이나 세상에 품고 있던 불만마저 털어놓았다. 마치 서로를 십 년도 더 된 친구처럼 대했다.

"주무실 때는 두 분 이서 주무셔요. 나는 애들이랑 작은 방에서 자려니까."

부인이 밖에서 외쳤다. 홍토와 나는 알겠다 답하고 이만 잘 준비를

했다. 이불을 깔고, 베개를 베고 누우니 잠이 솔솔 왔다.

******

와장창! 날카로운 소리가 내 귀를 찌른다. 내 앞에서는 황토가 소리를 지르며 항아리를 깨고 있다. 아, 분명 황토가 화를 못 참고 마당에 있던 것을 모두 깨놓고 개똥에게 덮어씌우던 때이다.

왜 황토가 지금 내 앞에서 이러고 있지? 어쩌면 지금, 이 순간이 내 앞에 놓인 것은 황토를 말리지 않은 것에 대해 속죄할 기회일지도 모른다.

"누가 그랬어!"

황토의 어머니가 황토를 꾸짖는다. 황토에게 반성의 기미는 보이지 않는다. 근처에 개똥이 나타난다. 곧 황토는 그에게 자신의 죄를 덮어 씌울 것이다….

나는 황토를 말리기 위해 달려가 입을 열지만 그사이에 이곳은 변해 버린다. 어느새 내 앞에는 황토의 부인이 있다. 정확히는 분노한 황토에게 죽을 듯이 맞고 있는 부인이었다. 이때는 부인의 바람을 눈치챈 황토가 분노를 다스리지 못하고 실신 상태까지 부인을 때렸다. 이후로 황토는 마을 사람에게 도깨비라고 불렸다.

"아악! 잘못, 잘못했어요!"

이번에도 나는 황토와 부인 사이를 가로막기 위해 달렸다. 부인 앞에 서자마자 부인은 사라졌다. 부인의 비명이 귀에 조용히 울린다. 소리에 집중하지 않았다면 들리지도 않을 정도로 고요히 울렸다.

"넌 아무런 필요가 없어! 없는 것보다 최악이군…."

황토가 소에게 소리치고 방으로 들어갔다. 소는 바닥에 주저앉아 엉엉 울었다. 곧 우는 소리가 거슬린 황토가 달려와 소를 뻥 걷어찰 것이다. 나는 소를 일으켜 달래주려 하지만 소의 손을 잡자마자 다시 주변이 바뀌어버렸다.

황토가 죽고 장례식장이 내 눈앞에 펼쳐졌다. 나는 아무것도 할 수 없었다.

"배 씨, 뭐합니까? 다른 생각은 하지 말고 나랑 좀 놀아줘요."

지루해 죽겠다는 듯이 달이 내게 말했다. 내가 정신 차리고 달을 보자 이내 꿈에서 깼다.

“이봐. 안 좋은 꿈을 꿨는가? 영 상태가 안 좋아 보이는데.”

홍토가 내게 물었다. 나는 땀으로 흠뻑 젖은 얼굴을 소매로 닦으며 부정했다.

“아무것도 아닙니다. 그냥 좀 더워서.”

홍토는 나를 이상한 듯이 보았다. 그 시선에도 나는 아무렇지 않게 이부자리를 정리했다. 꿈에서 못된 황토의 죽음을 봐서 그런가. 홍토를 보니 안심됐다. 해가 뜨고 집으로 향할 때, 홍토와 나는 산골짜기를 내려가며 또 대화 시간을 가졌다.

“왜인지는 모르겠지만, 배 씨, 자네는 날 좋게 봐주었지? 그래서 참 기쁘더라고. 생긴 것도 험하고 이 구석에서는 사람도 만날 기회도 잘 없어서 사이좋은 사람이 잘 없었거든. 자주 놀러 오소. 나는 언제나 환영이니까.”

“고맙습니다. 자주 올게요.”

“이제 이 길로 쭉 가면 마을 중심지일 거요. 다음에 봅시다.”

“예. 다음에 보죠.”

홍토는 자신의 평가에 대해서 예민하게 반응하고 마음에 담아둔 모양이었다. 길을 내려가는 내내 내게 친구가 생겨 기쁘다며 말했다. 황토도 어쩌면 뒷이야기에 힘들어했을 것이라 생각하니 마음에 죄책감이 더해졌다.

제2장

나는 홍토 가족과 만난 뒤로 자주 홍토의 집에 가서 시간을 보냈다. 염소에게 풀을 뜯어주기도 하고, 홍토와 처음 만난 오두막에서 술을 마시기도 하고, 내가 즐겨 가는 절에서 같이 풍경을 보기도 했다. 홍토는 나와 보내는 시간을 모두 기뻐했고 그건 나 역시 마찬가지였다. 그와 함께하면 황토로 인한 허전함과 죄책감이 한결 나아지는 것 같았다.

그날도 마찬가지로 홍토를 만나기 위해 홍토네로 향하는 길이었다. 숲길로 들어서기 전 오두막 뒤에서 어떤 대화 소리가 들렸다. 까르륵 거리는 여인의 웃음소리가 내 귀에 꽂혔다. 이 골짜기로 들어서고 나서는 한 번도 여인의 목소리를 들어본 적이 없었다. 하더라도 홍토의 부인뿐이었다. 이 주변에 사는 여자는 부인뿐이었기 때문이다.

호기심을 못 참은 나는 조심스럽게 오두막에 숨어 누구인지 관찰을 했다. 평소라면 그게 누구든 관심을 가지지 않았는데, 지금 생각하면 참 기이한 일이었다.

"그래서 내가 절 바닥에 쓰러져 있는 사내를 구했지…."

"이런…."

오두막 뒤에 몸을 숨긴 채 엿들었던 목소리는 홍토와 이름 모를 여인이었다. 여인의 얼굴이 익숙한 것이 마을 시장에서 종종 마주친 것 같았다. 나는 황토 부인의 바람이 떠올랐다. 홍토와 여인의 관계에 대한 의심이 내 머리를 지배하고 나는 그 둘 사이로 튀어 나갔다. 그 다급함은 마치 꿈에서 황토를 말릴 때와 같았다.

"홍토! 집에서 만나지 않고 여기서 만나다니! 날 마중 나온 겁니까?"

괜히 친근한 듯이 다가가 들러붙었다. 홍토는 당황한 채로 그렇다 답했다. 몸은 나를 향해 있었지만, 급하게 여인에게 눈짓하는 것을 보았다. 여인은 서둘러 길을 따라 산에서 내려갔다. 나는 분주하게 출발하고자 하는 홍토를 붙잡고 오두막에 잠시 쉬었다 가자고 청했다.

"집에서 부인이 기다릴 텐데, 이렇게 낯선 여인과 단둘이 시간을 보내다니요!"

홍토는 내 다그침을 예상하지 못한 듯했다. 홍토는 크게 눈을 뜨고 깜빡였다. 그건 당황했을 때 보이는 홍토의 습관이었다. 홍토가 내게 변명했다.

"아, 아니…. 저 여자는 얼마 전 내가 시장에서 도와준 여자요. 알게 된 지 얼마 되지 않았소. 그저 오늘 여자가 은혜를 갚는다고 하여…. 아무튼 그 여자와 붙어있던 건 못 본 걸로 했으면 좋겠네."

나는 홍토의 가족마저 불행히 흩어지길 바라지 않았다. 이들은 어쩌면 황토 가족을 말리지 못한 나의 실수를 반복하지 않고 용서받을 기회일 것이다. 나는 그 생각에 사로잡혀 홍토를 달랬다.

"가정의 기둥이라는 사람이 잠시의 흔들림에 무너질 수 있습니다. 그건 분명 홍토 당신에게도 안 좋은 일이겠지요. 집이 무너져 기둥만 남아서는 뭘 합니까. 제가 이렇게 말하는 건 당신을 욕하기 위해서가 아니라 걱정돼서이지요. 전 어릴 적 살던 집도 떠나고 기껏 머물던 집이 가정불화로 무너지는 걸 본 사람입니다. 그 끝이 좋다고 생각해 본 적 없습니다…."

분명 나는 홍토에게 말하고 있었지만, 절로 하늘을 바라보며 말하게 됐다. 홍토는 날 따라 하늘을 바라봤다. 우리는 한동안 말이 없었다. 그리고 나는 다시 홍토를 바라봤는데, 그도 나를 보고 있었다. 홍토는 크게 감동한 표정으로 날 봤다.

"날 생각해 주어 고맙네, 배 씨. 내 인생에 자네 같은 사람을 만날 수 있어 감사하고 있어. 분명 자네는 세상의 축복일 거야."

홍토가 나에게 어깨동무하며 말했다. 나는 올라가는 입꼬리를 숨기지 못했다. 아, 황토. 나는 해냈어요. 황토 당신은 지금 나를 살피고 있나요? 그렇다면 나를 용서할 수 있겠죠. 나는 또 다른 당신을 위해 언제나 기도하고 있으니까.

＊＊＊＊＊

이후로 홍토와 나는 하루 중 함께 있는 시간보다 떨어져 있는 시간이 더 적었다. 우리는 매일 얼굴을 보았고, 누군가 일이 있을 때마저 함께 했다. 홍토네 식구는 모두 반겼다. 지금까지 홍토는 나와 같은 친구가 없었다. 모두가 즐겁고 행복한 시간을 보냈다.

그러나 행복으로 가득 찬 시간이 그리 오래가지는 못했다. 부인이 홍토와 여인의 이야기를 뒤늦게 안 것이다. 어떤 경로로 알게 됐는지는 미지수지만, 아마 오랜만에 시장에 내려갔을 때 말 많은 검은 대문집 할배가 전했을 것이다. 할배는 말이 많은 만큼 소문에도 귀가 밝았다.

부인이 분노한 채로 집에 왔을 땐 홍토는 아이들과 염소가 좋아하는 돼지풀을 뽑아오기 위해서 산 깊숙이 들어갔었다. 부인을 반길 수 있는 건 나뿐이었다.

부인은 나를 신경도 쓰지 않고 혼자 소리를 질렀다. 내가 깜짝 놀라 소쿠리를 떨어뜨려도 머뭇거리지 않고 장독대로 향했다. 어떻게 이리도 황토와 같은지. 부인은 장독을 깨뜨리려 주먹을 휘둘렀다.

나는 부인의 주먹을 막으려 급하게 대청에서 뛰쳐나갔다. 다행히 부인은 심호흡하며 주먹을 거두었다. 일순간 내 눈이 커졌다. 스스로 화를 다스리며 마당을 걷는 부인에게서 난 눈을 뗄 수 없었다.

지금까지 홍토 가족에서 황토는 홍토라고 생각했는데, 어쩌면 아닐

지도 모르겠다는 생각이 들었다. 나를 보던 부인이 부엌에 급하게 들어가는 모습을 보고 나는 무엇인지 모를 강렬한 떨림을 느꼈다. 그것은 소름 이상의 짜릿함이었다. 성격이 더럽고 까칠한 황토가 내 곁에 있는 것 같았다. 황토 가족과의 추억이 내 머릿속을 가득 채웠다. 선덕여왕을 마주한 지귀처럼 혼이 빠진 채로 대청에 주저앉았다.

저녁을 차린 부인이 부엌에서 나와 내게 다가왔다. 나는 그 의아한 표정 속에서 예민한 기색을 읽었다.

"무슨 일 있으신가요?"

부인이 물었다. 나는 잠시 머뭇거리다 하고 싶었던 질문을 했다.

"아까 장독을 깨려고 간 것 같았는데, 왜 깨지 않았습니까?"

부인은 웃으며 답했다.

"그것이 옳지 않은 일임을 알아버렸으니까요. 알고 있음과 실천함은 다르지만요. 아주 예전에, 어릴 적에 한 스님과 절에서 며칠을 보낸 적이 있었는데, 그 시간이 제멋대로 던 절 변화시켰어요. 스님은 아주 좋은 스승이었거든요. 어린 시절 멋대로 살던 그대로 컸다면 제가 과연 어떤 사람이었을지…. 물론 지금도 영 좋은 사람은 아니지만, 사람처럼 살고 있답니다."

우리 사람 같지 않던 황토, 그도 내가 말리고 조금 더 그를 위했더라면 좋은 가정을 꾸려 행복한 시간을 누렸을까? 불쌍한 달은 부모, 누이와 함께 살지 않았을까? 나는 다시 한번 슬픔에 잠겼다.

곧 홍토가 집으로 돌아왔다. 아이들 품에도 돼지풀이 가득했다. 대청에 흙 묻은 풀을 내려놓고 우리는 저녁을 먹었다. 대청을 더럽힐 진흙과 벌레는 아무도 신경 쓰지 않았다. '아무도'라는 것은 나와 홍토 그리고 아이들을 말했다. 부인은 포함되지 않아서, 진절머리를 치며 대청을 청소했다.

저녁을 먹을 때, 부인의 시선이 계속 내게 머무르는 것 같았다. 기분 탓으로 치부하고 마저 밥을 먹었지만, 황토가 떠오른 탓에 내 눈도 부인에게로 향했다. 부인과 나는 몇 번이고 눈이 마주쳤다. 아! 부인의 시선 또한 내 착각이 아니었다. 부인이 부드럽게 웃으며 내게 청했다.

"오늘은 남편과 밤새 이야기도 나누고 자고 가셔요. 저는 오늘 아이들과 잘까 해요."

표정은 과할 정도로 부드러웠지만, 목소리는 냉랭했다. 그 탓에 오히려 억지로 가식 떠는 며느리 같았다. 홍토가 소름 돋아 부르르 떨 정도로 이질적인 모습이었다.

"아, 아아…어, 예…."

나는 홍토를 힐끔 보며 답했다. 홍토는 밥을 먹는 내내 부인을 관찰하더니, 이내 이상함을 알아챘다. 우리가 눈이 마주칠 때마다 헛기침하는 것이 영 사람을 불편하게 했다. 불편한 건 부인과 홍토도 마찬가지라 그 누구도 여유 있게 밥을 먹지 못했다.

"배 씨, 자네가 혹시 부인을 계속 보지 않았나 싶어서 말이야."

홍토가 자기 전 마당에 나와 말을 꺼냈다. 한참을 고민하다 내게 별을 보자고 제안해 의아하던 참이었는데 웃음이 나왔다. 다행이었다.

"오늘 장독이 깨질 뻔했는데, 부인이 막는 모습이 참 인상적이라 그랬습니다. 부인도 아마 민망한 것 같더군요."

내 말 몇 마디에 홍토는 자신이 오해했다며 허허 웃었다. 우리는 빠르게 화해하고 함께 밤하늘을 올려다보며 두런두런 이야기를 나눴다. 시장 길바닥에서 들을 수 있는 소문부터 요즘 느끼는 감정과 아이들 이야기까지, 우리의 담소는 끝이 없었다.

밤늦게까지 대화한 탓에 우리는 해가 중천에 뜨고 나서야 일어났다. 서로의 부스스한 모습을 보며 낄낄댔다. 아침은 둘이 함께 대청에 앉아 먹었다. 부인은 이미 밭일하러 간 후였다.

"밥이 너무 싱겁지 않나?"

"괜찮습니다. 예전부터 본의 아니게 간을 덜 해서 먹었거든요."

"난 아닐세. 난 아닌데, 부인이 자극적인 음식은 입에도 안 대고 간을 조금만 해도 절대 먹지 않아서 말이지. 가끔 피곤하다니까."

홍토네 집밥이 심심하고 자극적이지 않던 이유는 홍토 때문이 아니었다. 그저 홍토와 황토가 닮아 보인다는 이유로 난 멋대로 판단한 것이다. 오히려 부인이 더 닮았음에도 불구하고…. 얼마나 어리석었던가. 겉으로 판단해 홀려 살아가다 뒤통수를 맞은 기분이었다. 정신이 바짝 차려졌다. 그건 내 의지가 아니었다. 어찌 되었든 밤에 좋은 시간을 보냈음에도 홍토와 나의 우정이 깨지게 된 이유는 그것이었다.

제3장

홍토와 내가 만나는 시간이 줄어들었다. 함께 하는 시간도 늘 부인이 곁에 있었다. 주로 홍토와 내가 담소를 나누고 부인이 근처에 앉아 바느질하는 편이었다. 전과는 다른 생소한 일이라 홍토는 부인을 어색하게 바라보았다.

그 시선에도 부인은 개의치 않고 나를 종종 빤히 쳐다보았다. 달리 말을 걸지도 않고 그저 한참을 혹은 수시로 바라볼 뿐이었다. 그 둘

사이에서 새우 등 터지는 건 나였다.

부인은 홍토가 바람을 피웠다고 생각한 후부터 어딘가 거침없어졌다. 부인의 변화를 가장 크게 느낀 건 홍토였다. 부인이 복수를 꿈꿨다면 아주 성공했다.

그러나 며칠 사이로 홍토의 기분은 크게 저조했다. 그동안 홍토마저 나를 노려보는 것 아닌가. 나는 땀을 삐질삐질 흘려가며 시선을 피했다.

어느 날, 홍토는 무언가 결심한 표정으로 나를 본 뒤, 그 후로 내게 시선도 주지 않았다. 부인은 여전히 나를 뚫어져라 보았다. 홍토에게 말을 걸기 위해 다가갈 때마다 그는 염소에게 줄 풀이 떨어졌다며 도망가기 일쑤였다. 분명 한 달 내로 쌓인 돼지풀이 창고에 가득할 것이다.

그렇게 답답한 상황을 해결하지도 못하고 한참을 보냈다. 그 탓에 홍토네에 찾아가는 것도 꺼려져 마을에 주로 머물렀다.

"이봐, 배 씨! 나와보시게!"

호탕한 웃음소리와 함께 누군가 외쳤다. 집에서 막 세수하고 일과를 시작하려던 내게 홍토네 가족이 갑작스러운 방문을 했다.

"무슨 일입니까? 아이들도 데려오고."

인사 후 내가 물었다. 홍토는 머리를 긁적이다 의미심장하게 웃을 뿐이었다. 내 물음에 답한 건 부인이었다.

"가족과 함께 다 같이 장을 보려고 해요. 뭐어, 이 정도면 배 씨도 우리 가족이잖아요."

내 말에 홍토는 기분이 상한 듯했다. 부인을 곁눈질하더니 나를 잡아끌어 앞장세웠다.

"자, 자! 갑니다!"

시장에는 다양한 물건이 많았다. 음식도 있었고, 이웃도 있었다. 홍토가 아이들과 간식을 사는 동안 부인과 내가 멀리서 가져온 듯한 조금 해진 안감을 살폈다. 정말이지 믿었던 홍토가 그 틈에 불미스러운 짓을 저지를 것이라고 생각도 못 했다.

"사람들! 여기 이 부정한 남녀가 있습니다!"

홍토는 아이들에게 부끄럽지도 않은지 고래고래 소리를 질렀다. 처음 만났을 때의 단정함은 어디로 가고, 훨씬 추한 모양새로 침을 튀겨 갔다. 사람들이 우리에게 주목하는 건 당연했다. 부인은 얼굴이 빨개지고 나도 당황해 아무 말도 못 했다.

정작 바람기가 있던 건 본인 아닌가. 무슨 연유로 우리를 망신 주려 하는가. 부인과 나의 우정이 그 정도로 기분 상할 일이었나? 사람들의 비난 가득한 눈빛이 우리를 한 자리에 묶어뒀다. 수많은 눈동자와 웅성거림은 사람을 미치게 하기 좋은 요소였다. 그게 홍토의 목적이었다면 아주 영리했다.

홍토는 아주 의기양양하게 우리를 향해 웃었다. 정말 홍토 가족도 이렇게 무너질까. 아버지의 손을 잡지 못하고 서로를 구원 줄인 듯 붙잡고 있는 어린 형제가 안타까웠다. 멋대로 판단하고 스스로 가족을 망쳐놓은 홍토가 가소로웠으나 내가 할 수 있는 건 없었다. 이미 소문은 시작되었을 것이었다. 역시 황토와 홍토는 닮지 않았다. 나는 뒤늦게 알아차리고 마음의 문을 활짝 열었던 과거를 욕했다.

"아니에요! 저희 사이에 있는 것이라고는 우정뿐이에요. 맹세할게요. 저는 한 번도 남편 외에 남자와 우정 그 이상을 나눈 적이 없어요. 우정마저 이 남자가 처음이에요. 이 사람은 오히려 제 남편과 더 친해요. 정말이에요…"

여전히 시선은 거둬지지 않았지만, 부인의 울음 가득한 목소리에 많은 사람이 한결 유해진 표정으로 우릴 바라봤다. 난 당황스럽기만 했다.

"여러분 절 잘 아시지 않습니까. 제가 무슨 부인을 향해 사랑을 피울 사람입니까. 저는 그런 거 없이 앞으로 살아가길 오래전부터 스스로 약속했습니다. 제가 약속을 깰 사람이게요?"

달과 함께 지내며 우리는 이웃과 좋은 관계를 맺었다. 길가에 서 있던 검은 대문집 할배와 손녀가 고개를 끄덕였다. 많은 사람이 나를 믿었다. 부인은 안심하고 아이들의 손을 잡았다. 어느새 홍토는 사라지고 난 뒤였다.

"세상에, 아무런 이유 없이 사람을 몰아가다니 세상 무서워서 살 수 있나!"

옆집 아낙네가 내 곁을 따라오며 외쳤다. 지나가던 사람도 고개를 끄덕였다. 나는 순수하게 믿어주는 이들에 감동하였다. 그래, 많은 참견과 어리석음을 뽐내듯 살아온 삶 같다. 누군가와 친목을 다지고 오지랖을 부려 뭘 할 수 있을까. 그것은 오만이었다. 그런데도 좋은 사람들도 내 곁에 있음에 감사했다.

이날로 나는 더 이상 홍토네에 가지 않았다. 홍토의 소식을 듣게 된 건 옆집 아낙네로부터였다. 홍토가 첫째 아들을 데리고 집을 나갔다고, 홍토 부인 그러니까 복향이 막내아들을 키우기로 했다는 것이다. 결국 그렇게 가정이 깨졌구나, 난 탄식했다.

황토를 홍토나 복향에게 덮어 보았던 것이 문제였다. 황토에게 품은 죄책감을 그와 관련도 없는 가족에게 풀려 했던 잘못이었다. 나는 후회할 삶을 살았다. 이제 앞으로 남은 회계의 시간을 떠올렸다.

나는 한참을 생각했다. 앞으로의 내 삶을 어떻게 살아가야 하는지가 고민의 주제였다. 답은 그날 밤에 알 수 있었다.

"배 씨, 배 씨! 뭘 해요, 일어나봐요!"

명랑한 목소리가 내 귀를 채웠다. 달의 목소리였다. 나는 급하게 일어나 앉았다. 내 어리둥절한 표정을 보고 달이 낄낄 웃었다. 생전 모습과 똑같았다.

"배 씨, 많은 일이 있었죠?"

개구쟁이처럼 미소 지으며 달이 물었다. 그래, 네가 가고 너무 많은 일이 있었어. 나는 아직 그걸 감당할 준비가 되지 않았나 봐…. 달이 모든 걸 알고 있는 듯 행동했지만 나는 달에게 그동안의 일을 열심히 설명했다. 한탄이 대부분이었다. 달은 고생이 많았다며 나를 위로했다.

"배 씨가 어떤 일을 했던지 난 배 씨 편이니까요."

그 말을 듣고 한참을 울었다. 눈물이 말랐을 때쯤 달이 내 곁에 앉아 제안했다.

"이 마을에 살면서 너무 힘들어하는 것 같아요. 배 씨, 앞으로 나와 함께 살지 않겠어요?"

나더러 죽으란 말인가? 나는 다시 어리둥절해졌다. 그런 나를 보며 웃기만 하던 달이 창으로 들어온 햇빛에 부자연스러워졌다. 달이 내게 또 한 번 말했다.

"나와 같이 삽시다, 배 씨."

그날 아침 나는 달이 묻힌 산속 어딘가에 있던 버려진 집을 고쳐 살기로 했다. 마음을 먹자 얼른 실행하고 싶어 조급해졌다.

점심 먹을 무렵 옆집에 찾아갔다. 마을에 살며 언제나 나와 달을 위해 도움을 주었던 아낙네가 반갑게 맞이한다. 미지근한 물을 대접받고 옆집 가족에게 털어놓는다.

“이제 마을에 미련조차 없어요. 최대한 빨리 달에게 가 그곳을 돌보며 삶을 참회할 생각입니다. 인사하려 들렀습니다.”

내 이야기를 듣고 옆집 가족은 울어줬다. 다른 이들에게 어땠는지는 모르지만, 그들은 나를 참 좋아했다고, 앞으로의 삶에 고난이 없길 빌어줬다. 얼마나 다정한 사람들인지.

짐을 싸고 옮기지 못한 가구를 마당에 내놓았다. 주변 이웃에게 필요한 게 있으면 보고 가져가라고 말해둔 참이었다.

집을 등지고 걸어가는데 다급한 목소리가 들렸다. 복향의 목소리였다. 복향은 빠른 발걸음으로 내게 다가왔다.

“잠시, 잠시만요!”

내가 뒤를 돌아보자, 배가 조금 부른 복향이 있었다. 그 뒤로 막내 아들이 아장아장 걸어왔다. 저렇게 귀여운 아이가 가족과 떨어져 지내게 되었다니.

"떠난다고 들어 급하게 왔어요. 오랜만이죠?"
"그렇네요. 이제 산속에 들어가 사람은 마주하지 않고 살려고 합니다."

복향에게 말하니 속이 시원해졌다. 정말로 마을에는 볼 일이 없어진 것 같았다. 한결 가벼워진 어깨를 으쓱하며 아이에게도 인사했다.

"미안하다고도 하고 싶고, 할 얘기가 많았는데, 가버린다니 아쉽네요."

복향은 내게 말 몇 마디를 건넸다. 난 크게 신경 쓰지 않은 채 들었다. 얼마 지나지 않아 내가 가고 싶어 한다는 걸 눈치챈 복향이 웃었다.

"다름이 아니라 가기 전에 아이의 이름을 지어줄 수 있나 해서요. 원래는 태어나서 남편이 지어주기로 했었는데…. 그럴 수 없게 되어서. 배 씨가 지어줘도 의미가 있을 것 같아요."

복향의 말에 순간 달의 얼굴이 떠올랐다. 홍달. 그것참 웃긴 이름이겠다. 그러나 나는 고개를 저으며 거절했다. 더 이상 이 가족에게 너무한 짓을 하고 싶지 않았다.

"이름은 가족끼리 짓는 게 좋겠어요. 저는 떠나는 사람이니 너무 아쉬워하지 마십시오."

"아…. 그런가요."

"예. 이만 가보겠습니다. 앞으로 아무쪼록 좋은 일만 있길 바랍니다."

나는 인사하고 그대로 뒤돌아 마을을 떠났다. 산으로 향할 때 혼자 남아 아이를 키워야 할 고생하는 복향이 생각났지만, 그 옆에서 도움을 주는 것도 우스운 일이었다.

호랑이가 나타나는 산속 비어있던 집에 다시 불이 들어왔다. 원래 집주인은 호랑이에게 잡혀갔다. 새로운 집주인이 사라졌어도 아무도 모를 깊은 숲속, 그곳에서 살고 있다. 밤하늘에 뚫린 흰 구멍을 한참 동안 바라보며 나는 시간을 보낸다.

마치는 글

글을 쓰는 데 도움이 된 모든 것들, 모든 분께 감사합니다. 이야기를 만들어 낸다는 건 참 까다로운 일인데, 그 일을 그다지 까다롭지 않게 끝냈다는 건 아주 서툴렀다는 것이겠죠. 서투른 글을 구상하고 잘라내고 수정하는 짧은 시간 동안 설렘을 느꼈습니다.

제 첫 시도와 경험은 찝찝하면서도 개운합니다. 문장 속에서도 배어덕이라는 인물의 찌질함과 인간다움, 소설의 전기성을 나타내려 노력했습니다만 잘 나타났을까요. 계속해서 황토를 깎아 내리거나, 달의 환상을 통해 듣고 싶던 말을 듣는 것, 결국에 선택한 게 회피를 통한 앞으로의 회고 생활이라는 것, 황토네와 홍토네를 구분하고 나서야 부인을 복향으로 서술하는 것까지 나름 장면 하나하나를 인물의 성격을 나타내기 위해 넣고 빼고 고쳐 썼습니다.

앞으로의 글이 이 글보다 의미 있는 글이 될 수 있도록 하고 싶습니다. 어떤 메시지를 전달하는 글을 쓰고 싶어요. 성장하겠습니다. 감사합니다.

이인영

작가명: 이인영

나의 MBTI: ISFP

좌우명: 피할 수 없으면 즐겨라.

취미: 노래 듣기

좋아하는 가수: 투모로우바이투게더

좋아하는 음식: 떡볶이

나에게 한 마디: 잘 살자

로맨스

이인영

프롤로그

나는 아티스트가 꿈이었다. 인스타그램에서 예고 지원서 같은 게 잘 뜬다는 소리를 듣고 처음으로 인스타를 접하게 되었다. 그 인스타로 나는 생의 첫 남자친구가 생겼다. 그 애는 2023년 10월 9일에 친구의 소개로 만나 2023년 10월 12일에 사귀게 되었다. 서로를 알아간 지 3일이라는 시간뿐이었다. 그 애가 나를 사랑해줄 수 있을 거라는 왠지 모를 확신이 있었기에 거절하지 않았다.

친구들은 나에게 "단거리가 짱이다." "장거리를 왜 만나냐?" 했었지만, 장거리도 나쁘지 않았다. 장거리 연애인 만큼 연락이 안 되면 신뢰가 떨어진다는 것을 알기에, 연락이 안 되지 않도록 엄청 노력하였다.

이후 나는 아침에 일어나서 제일 먼저 인스타를 보는 것이 일과가 되었다. 그 애가 연락이 없는 날이면 아무것도 손에 잡히지도 않고 뭔가를 하고 싶지도 않았다. 그런데 연락이 와있는 날이면 그 하루는 어떤 누구보다 행복하고 좋았다. 그 아이는 나와 밀당을 하는 듯 행동하였다, 그런데 밀당을 하든 말든 나는 그 아이가 너무 좋아서 밀당을 해도 상관없었다.

사람을 좋아하는 것만으로도 이렇게 행복하다는 걸 느끼게 되었다. 이래서 사람들이 연애를 하나 보다. 나는 그 아이와 연락을 잘하면서 중학교 생활을 마무리하였다. 이후 그 아이와 같이 고등학교 입학을 확인하기 위해 만났다. 그 아이는 자사고에 지원서를 넣었고, 나는 예고에 지원서를 넣었다. 둘 다 합격하였고, 우리는 그 후로 서로 바빠져 연락하기 힘들어졌다.

학기 초 전학생

오늘도 등교 준비를 하고 인스타를 보고 있었다. 보다가 무의식중에 시계를 보니 8시 15분. 등교 시간까지 15분 남았다. 나는 놀라서 가방을 메고 밖으로 나왔다.

'하, 씨 망했어!!'
'우리 집에서 학교까지는 20분이나 걸리는데!!'
'그냥 천천히 가서 지각을 해버려?'

'아니다! 아직 학교 초인데 내 이미지 챙겨야지.'

뛰자!! 교문에 도착하니 어느새 18분이었다.

'휴… 살았다.'
'얼른 들어가야지.'

"다솜아, 반에 들어가는 것까지가 등굔데 여기서 뭐해?"

뒤에서 들리는 중저음의 목소리. 담임 선생님이시다. 우리 반 담임 선생님은 장난기도 많으시고 귀여운 남자 선생님이시다.

"왁! 쌤 놀랐잖아요!!"

"너 소리 때문에 내가 더 놀랐다!"

"하핳."

"근데 쌤, 여기서 뭐하고 계세요?"

"너 지각 할 줄 알고 한껏 신나서 기다리고 있었지. 좀만 더 늦었으면 지각인데 아깝다."

"허. 쌤. 너무해요."

"뭐가 너무하긴 너무해. 임마!"

"흥. 저 먼저 들어갈게요!"

교문 앞에 서 있는 선생님께 반으로 걸어가며 소리쳤다.

"쌤, 반에서 봬요!!"

선생님을 향해 손을 흔들었지만, 쳐다만 볼뿐 대꾸해주지 않았다.

"쌤, 진짜 흥이다!"

교실 문 앞에 도착하니 집에 가고 싶어서 다시 집 갈까 망설였다. 하지만 그건 아닌 것 같아서 문을 딱 열었는데. 문을 염과 동시에 어떤 강아지 같은 남자애가 내 쪽으로 뛰어오더니 나를 안았다. 너무 당황한 나머지 그 아이를 밀치고 소리를 쳤다.

"야, 너 뭐야? 뭔데 갑자기 안고 난리야!!"

짜증을 내며 그 아이를 쳐다보았다. 그런데 날 끌어안은 아이는 한루다였다! 내가 너무 보고 싶었던 아이가 내 눈앞에 서 있어서인지 아니면 갑자기 연락을 끊어서 짜증 나는 마음인지 모르겠지만 눈물이 흘렀다.

한루다는 나와 눈높이를 맞추고 내 마음을 다 안다는 듯한 말투로 '미안하다' 말하며, 자기 어깨에 기대게 한 상태로 나를 안고 토닥여줬다. 반 아이들은 이게 무슨 일인지 몰라 자기들끼리 수근거렸다. 하지만 나는 개의치 않고 계속 넋 놓고 울었다.

10분쯤 지났을까? 어느 정도 울고 미안하다고 말하며 떨어지려고 밀었다.

"다솜아, 떨어지려고 하지 마."

루다는 이 소리와 함께 더 꽉 껴안았고, 반 아이들은 소리를 질러댔다. 그때 앞문이 열리며 담임 선생님이 들어오셨다.

"애들아, 미안해 너무 늦었지? 전학생 데려오려고 했는⋯? 저기 뒤에 둘이 뭐하니?"

“얼른 자리로 갈게요. 죄송해요.”

“다솜아, 늦게 와놓고 아직도 자리에 안 앉으면 어떡하니! 빨리 가서 앉아!!”

“넵.”

“근데 다솜이 옆에 넌 누구니?”

“안녕하세요? 오늘 전학 오기로 한 한루다입니다.”

“너가 한루다야?? 8시 30분에 오겠다며! 그래서 밖에 마중 나가서 기다리고 있었는데.”

“아?? 죄송해요.”

“아냐. 앞으로 나와서 자기소개나 하자.”

“안녕? 내 이름은 한루다야!! 잘 부탁해!”

“넌 어디서 전학 왔어?”

"솜이랑은 무슨 관계야?"

아이들이 루다에게 질문을 쏘아댔다.

"나는 00 사립고에서 왔고, 다솜이랑은… 연인관계야!"

반 아이들과 선생님의 동공은 커졌고 모두 나와 루다를 번갈아 가며 쳐다보았다. 나는 루다를 보며 놀란 표정을 지었고 루다는 나를 보며 베시시 웃고 있었다. 선생님은 놀란 걸 진정하고 입을 여셨다.

"큼! 서로 아는 사이니 루다는 다솜이 옆에 앉고 궁금한거나 학교 탐방도 다솜이한테 물어."

"넵!! 감사합니다!"

루다는 자리로 와서 나를 빤히 쳐다보기 시작했다.

"왜 쳐다봐?"

"이뻐서."

"응?"

"너 귀걸이가 너무 이쁘다고."

"음, 맞지. 귀걸이가 좀 이쁘긴 해."

난 약간 실망한 표정을 지어 보였고, 루다는 나에게 다가와 귓속말을 했다.

"솜아, 사실 귀걸이가 아니라. 너가 이뻐서 쳐다본 거야. 그리고 너 귀 빨개졌다."

이런 것에 귀가 빨개진 내가 어이없기도 하고 부끄러워서 엎드렸고, 루다는 다솜의 볼을 누르며 말을 걸었다.

"솜이 볼살은 여전히 말랑거리네."

"만지지 마. 이 멍청아!"

"솜아 고개 들면 안 만질게."

"애들아 나 아직 안 나갔는데? 왜 꽁냥거리고 있어!!"

나는 귀가 더 빨개지고 있었고

-중략-

마치는 글

제가 쓴 〈로맨스〉는 다 마치지 못했습니다. 글에 대한 압박감과 시험공부로 인해 더 이상 원고가 써지질 않았어요. 다솜이와 한루다의 17살 로맨스를 그려내고 싶었지만, 마음대로 되질 않았습니다.

머릿속에는 많은 이야기들로 가득하지만 글로 쓰는 작업은 다른 일이었습니다. 시험이 끝나면 꼭 원고를 마무리 지어 전자책으로 내보고 싶습니다. 꼭이요! 저와의 약속이며, 작가님, 함께 글을 쓴 선배들과 친구들과 약속이라 노력하려고 해요.

이런 기회를 주신 선생님과 작가님, 청도도서관 담당자님께 감사하다고 말씀을 드리고 싶습니다.

이승현

작가명: 이승현

꿈: 좋은 작가 되기

좌우명: 이 또한 지나가리라.

취미: 소설 읽기

좋아하는 가수: 스텔라장

좋아하는 음식: 자몽

나에게 한 마디: 할 수 있을 때 다 해보자.

지난 날의 오르골

기이한 오르골이 머릿속에서 잊히지 않는다

이승현 지음

제1장

새가 지저귀는 아침 어느 건물 한 옥탑방에서 나온 큰 비명이 건물들 사이에서 울리기 시작하였다.

"으아악!! 더는 못 해 먹겠네. 진짜!"

한 젊은 남성의 비명은 늘 그렇듯이 같은 건물 사람들의 무관심한 반응이 이어졌고, 아무렇지 않은 듯, 새들 또한 지저귐을 이어갔다. 그 남자의 이름은 이시현. 25살의 이 남자는 22살 때부터 보았던 공무원 시험을 3번이나 떨어졌다. 이번에도 떨어진다면 부모님의 작은 회사로 들어가 자신의 오랜 꿈이자 지금 이루고 있는 독립생활을 그만두고 부모님의 집으로 들어가 평생을 구박받으며 살아갈지 모른다는 압박감에 시달리고 있다.

시현은 책상을 박차고 나와 옥탑방을 나간 뒤, 입에 담배를 물며 생각에 잠겼다.

"후… 어릴 때는 맘 편히 놀기만 했어도 됐었는데… 지금은 생활비며 세금이며… 아우 진짜!"

시현은 자신의 화를 참지 못하고 옆에 굴러다니던 깡통을 차버렸고, 깡통이 날아가는 청량한 소리와 함께 균형을 잡지 못해 우스꽝스럽게 넘어지는 소리가 하모니를 만들어 냈다.

"아 진짜!! 되는 게 없어."

시현은 부끄러운 듯 자리에서 벌떡 일어나 다시 옥탑방에 들어갔다. 옥탑방에 들어간 시현은 이 상태론 공부할 수 없겠다 싶어, 샤워하고 옷을 입은 뒤 옥탑방을 나와 주변 공원을 산책했다. 산책하며 맞는 따

듯한 햇살과 적당히 시원한 바람 덕분인지, 시현은 아까 꿀꿀했던 기분이 조금씩 나아졌고, 다시 정상적인 사고로 공부할 수 있겠다 싶어 돌아가려는 찰나 주변 공원 중심지 쪽에 작게 진행하는 바자회를 보게 되었다.

시현은 작게 여는 바자회를 보며 생각했다. 바자회에 가서 자신의 옥탑방에 잠겨진 고독함을 줄이고, 인형이나 방의 분위기를 환기시킬 수 있는 것을 사고 싶었다. 그렇게 바자회에서 물건을 사는 것을 결심하고 주변을 둘러보던 중 바자회에는 어울리지 않을 것 같은 젊은 여자가 내 눈동자를 반기었다.

그녀는 바자회 분위기에 걸맞지 않게 아름다웠다. 또 신기하게 바자회에 정의는 공공 또는 사업 자금을 위해 벌이는 시장일 텐데, 알맞지 않게 그녀의 앞에는 조그마한 상자에 담긴 오르골만이 내 눈에 띄었다. 시현은 그것을 의아하게 여겨 그녀에게 말을 걸어보기로 했다.

"안녕하세요. 혹시 이 바자회는 몇 시부터 열린 건가요? 물건이 하나밖에 없으셔서요. 혹시 다른 물건은 다 팔리신 건가요?"

시현의 물음의 그녀는 오르골과 나를 번갈아 가며 쳐다보더니 마치 퍼즐을 맞춘 아이처럼 눈을 반짝이며 말하였다.

"아뇨! 이 바자회는 열린 지 얼마 안 됐어요. 저는 이 오르골을 선물할 사람을 찾고 있었거든요. 근데 마침 찾은 것 같아서 기쁘네요!"

그녀는 시현이 이해할 수 없는 의아한 말들을 내뱉었고, 내가 의문 가득한 표정을 짓고 있으니, 그녀는 다시 자세한 설명을 해주었다.

"사실 이 오르골은 좀 특별하거든요. 그냥 소리만 내는 오르골과는 달리 특별함을 담고 있죠. 이 물건은 주인을 고르기 때문에 주인 찾는 게 여간 까다로운 게 아니었는데, 찾은 것 같아서 기뻐요."

그녀는 말을 건네며 싱긋 웃었고, 시현은 들을수록 더더욱 의문이 드는 상황에 새로 유행하는 플러팅인가 아니면 그녀는 사이비 종교인인가하는 상상들로 머리가 어지러워졌다.

"지금은 이해하기 어려우신가 보네요. 처음엔 다들 그런 반응이더라고요. 그렇지만 사용하시면 제가 했던 말이 이해가 가실 거예요."

그녀는 사람 좋은 표정으로 사용법으로 보이는 종이와 오르골을 건넸다.

"유용하게 사용했으면 좋겠네요. 그럼 다음에 기회가 된다면 또 봬요!"

그녀는 물건을 건넨 뒤 할 일을 마치고 퇴근하는 직장인처럼 빠르게 마술처럼 사라져버렸다. 마치 내 눈에 존재했던 여성이 어디 있냐는 듯이. 어안이 벙벙해진 채로 시현은 손에 쥐여진 오르골과 종이를 들고서 아마 몇 분간은 그대로 서 있었다.

제2장

"푸하하하하!! 병신아, 그거 사이비잖아. 오르골에 위치추적기 달려있을걸?"

시끄러운 술집에서 내게 익숙한 목소리와 웃음소리가 들려왔다. 얼마 전 만난 그녀에게서 오르골을 받았던 얘기를 친구들에게 알려 주었더니 저런 반응이 튀어나왔다.

“예쁘냐?”

이런 반응도 나왔고, 나를 포함한 4명에서 함께 술집에 가 술을 마시며 일상을 공유하고 있다. 방금 내게 욕을 박은 친구의 이름은 제희. 그리고 예쁘냐고 물어본 친구는 지훈이다.

“일단 사이비든 뭐든 관심이 있어서든 너한테 좋은 게 아닌 건 분명해.”

우진이는 주문한 감자튀김을 우걱우걱 먹으면서 내게 조언하였다.

“아니··· 나도 받고 싶지 않았는데 정신을 차려보니 어느새 손에는 오르골이 있었어, 여자는 없어져 버렸다고··· 아 근데, 예쁘긴 진짜 예쁘더라.”

내가 한탄 뒤에 뒷말을 덧붙이자 애들이 웃으면서 ‘그럼 좋은 거네’ 라며 말했고, 우리는 손에 쥐고 있던 맥주를 목구멍에 쑤셔 넣었다.

“저 새끼는 그렇다 치고. 지훈아, 너 지금 엄청 잘 나가잖아? 분명 3주 전만 해도 이 새끼 개그지였는데, 비트코인 올인하더니 인생 개떡상했잖아. 지금도 시발 명품으로 온몸을 도배했어. 인생 진짜 개불공평해.”

제희는 치킨을 물어뜯으며 불공평함을 내뱉었다. 술이 들어가니 제희의 원래 공격적인 말투가 한층 더 강해졌다.

"꼬우면 너도 하든가, 임마."

지훈은 큭큭대며 자신의 손에 걸려 있던 명품시계를 과시하며 말을 이어나갔다.

"비트코인 조금 더 오르면 차도 람보르기니로 비싼 거 하나 뽑을 거다."

그렇게 말하며 맥주를 들이켰고, 그의 자랑질에 불공평에 대해 울부짖고 있던 제희는 화난 말투로 언행을 이어 갔다.

"닥쳐. 시발 인생 진짜 존나 불공평하네. 나보다 돈도 못 벌던 새끼가 지금은 명품이나 차고 있고. 너도 마찬가지야. 시현아, 공무원 시험 3번이나 떨어졌는데도 부모님이 잘사니까 회사라도 들어갈 수 있는 거지. 존나 부러운 새끼들."

제희의 공격적인 화살이 갑자기 타깃을 바꾸어 나에게로 향하였다. 난 잘못한 것도 없는데 억울했다. 분명 내가 공무원 시험을 3번이나 떨어진 것도 사실이고 현재 부모님에게 손을 빌려 사는 것도 맞지만, 저 말을 들으니 울컥해 말을 더 이어나가게 되었다. 절대 화가 나서가 아니었다.

"야, 술주정 좀 그만 부려라. 내가 부모님 덕을 본 것은 사실이지만 공무원 시험만 성공하면 손 안 벌리고 완전히 독립해서 살 거야. 그리고 뭐가 불공평한데. 우진이를 봐. 시험 잘 쳐서 지금 사범대 졸업 직전까지 갔잖아."

내가 우진이를 들먹이면서 말하자 계속해서 감자튀김을 먹고 있던 우진이가 상황을 제지하였다.

"야 야, 그만해라. 우리가 싸우려고 모였냐? 가끔 술 먹고 놀자고 부른 모임인데 분위기 씹창낼래?"

우진이의 말을 끝으로 술모임이 끝났고, 각자 집으로 들어갔다. 이런 일이 자주 생기는 건 아니지만 그래도 지금 기분이 꿀꿀한 마당에 한 소리를 들으니 심정이 답답해 미칠 것 같았다. 내가 원해서 부모님에게 손을 벌린 것도 아니다.

아르바이트라도 하면서 고시원에서 공부할 생각이었는데 부모님이 아르바이트할 시간에 공부나 더 하라며, 핀잔을 줘 원룸을 잡으려던 것을 겨우 옥탑방까지 가격을 줄여 살게 된 것이다.

그런데도 제희의 말이 계속 생각났고, 공무원 시험을 3번이나 떨어진 나는 졸지에 부모님 등꼴이나 빨아먹으며 사는 존재가 된 것 같았다. 내 인생에 대해서 한탄하고 있는 그때, 책상 위에 오르골이 눈에 띄게 되었다. 특별함을 담고 있다던 오르골 소리로 분위기나 전환이나 시키자고 생각하면서 오르골 옆에 있던 설명서를 읽어나갔다.

"이 오르골은 미래를 알려줍니다…?"

읽어나가던 중 술에 취해 헛것이 보이나 싶을 만큼 설명서에는 이 이상한 글이 적혀 있었다. 이게 무슨 개같은 소리인가 싶던 와중 오르골 포장지를 열고 오르골의 생김새를 보니 괴상하게 생겨 먹은 오르골 박스가 눈에 들어왔다.

나는 한밤중에 소리를 지를 뻔했다. 오르골은 뭔가 공포영화에서 나올법한 비주얼을 가지고 있었다. 특별한 오르골이라고 하더니, 정말 생김새는 특별했다. 이렇게 생겨 먹은 오르골이라면 정말 미래를 알려준다고 하면 믿을 것 같았다.

다행히 오르골에는 제희가 말했던 위치 추적기가 달려있진 않았다. 계속해서 오르골의 생김새에 대해 감상하고 있었는데, 혀를 날름 내민 오르골의 입구가 눈에 띄었다. 오르골은 가운데 있는 엄청나게 큰 눈알 하나가 나랑 눈을 마주치고 있었고, 가운데에서 벗어난 아래에는 혀를 내밀고 있었다. 마주친 오르골의 눈에서는 마치 혀에 무언가를 내달라는 것처럼 보였다.

오르골의 사용 설명을 계속 읽어갔더니 저 내민 혀를 다물게 할 수 있는 방법이 적혀 있었다. 그건 바로 종이로 알고 싶은 내용을 적으면 오르골이 그걸 먹고 '예, 아니오'로 소리를 낸다고 한다. 만약 질문의 답이 '예'라면 보통 오르골과 같은 소리를 내고, '아니오'라면 칠판을 긁는 듯한 소리를 낸다고 적혀 있었다.

오르골이 답하는 총횟수는 3회라고 되어있다. 생긴 건 마치 다 먹을 것 같이 생겨 놓고선 배가 한없이 작은 것 같다. 나는 메모지를 조금 찢어 샤프로 물어볼 것을 간단하게 적은 뒤, 내뱉고 있는 혀에 그것을 집어넣었다.

그러자마자, 오르골의 넙죽 내민 혀가 들어갔으며 눈알이 빠르게 굴러가기 시작했다. 그리고 30초 정도가 흘렀을까? 오르골은 괴상한 소리를 내며 연주하기 시작했다.

“끼이이익 끼익 끼이이익”

괴상한 소리가 방안에 울렸다. 나는 듣기 싫은 소리에 손으로 귀를 막았고 결과에 대해 생각해보기 시작했다.

“시발새끼가! 내 얼굴이 뭐 어때서!!”

나는 메모지에 이번 연도에 여자친구가 생길까 하고 적었고, 어이없게도 오르골은 나보다 괴상하게 생긴 주제에 부정했다. 화가 나버린 나는 괴상한 소리를 연주하던 오르골을 벽으로 집어 던졌더니, 괴상하게 나던 소리가 멈추었고 나는 괜히 물어보았다는 생각에 이불을 확 덮고 잠이 들었다.

제3장

자고 일어났더니 전날 과음 덕분인지, 온몸이 쑤시고 속이 쓰려왔다. 다음부턴 술 좀 그만 먹어야지 하는 마음이지만 결국 또 먹게 된다. 술은 슬픈 내 마음을 대변해주는 친구이기 때문이다. 어제 날려버렸던 오르골을 다시 책상 위로 올려 두고 옥탑방에서 나와 옥상에서 해장 담배를 피며 어제 일을 더듬고 있었는데 문득 오르골이 들려준 괴상한 소리가 생각이 났다.

"이 얼굴에 여자친구가 안 생겨? 말이 되는 소리를 해야지."

혼잣말을 중얼거리고 있자니 오르골이 사기가 아닐까 하는 생각이 들었다. 기회는 3번뿐이지만, 오르골의 진실을 시험하고 싶은 생각이 었다. 그러고 보니 진실을 증명하는 좋은 방법이 있다.

바로 스포츠토토이다. 물론 내가 하려는 건 불법 스포츠 토토지만, 결과를 확인하기에는 더없이 좋을 거라 생각이 들었다. 나는 스포츠토토에 영 소질이 없어 토토를 시작했던 3개월 전에 15만 원을 잃고 바로 접었던 생각이 났다. 이번이 마지막이라는 생각으로 피던 담배를 끄고 다시 방으로 들어가, 책상에 앉은 뒤 메모지를 찢었다. 그리고 토토사이트에 20만 원을 충전했다.

만일 오르골이 틀린다면 큰일이지만, 난 이 괴상하게 생긴 오르골을 믿고 있었다. 왠지 괴상하게 생겨서 더 신뢰가 가는 것 같기도 하다. 내가 하는 종목은 2개의 색이 다른 달팽이 중 어떤 달팽이가 가장 빠르게 1등으로 들어가는지 맞히는 게임이었다. 나는 '파랑 달팽이가 1등 할까?'라는 질문을 메모지에 적어 다시 배가 고픈지 입을 벌리고 있는 오르골에게 쑤셔 넣었다.

그러자 또다시 눈알이 굴러가더니, 이번엔 정상적인 소리를 연주했다. 기분이 좋아진 나는 파란 달팽이가 1등을 한 다에 올인했고, 결과는 정말 말 그대로 파랑 달팽이가 1등을 해서 충전했던 돈의 약 3배

정도를 얻게 되었다. 돈이 불린 것을 보고 기분이 좋아진 나는 호날두의 트레이드 마크를 따라 했다.

"수우우!!"

결국 나는 이 오르골의 결과를 믿게 되었고, 이제 남은 1번의 기회를 어떻게 쓰는 게 좋을지 신중히 생각하기로 했다. 술기운에 날려 먹은 기회처럼 쓰면 안 된다. 그렇게 나는 몇 시간을 고민하다 문득 오늘 공부를 안 한 것이 생각났다.

이런 엄청난 기회가 생겼는데 공부 따위가 중요할까 하는 생각이 들었다. 곧 있으면 공무원 시험이기도 하고, 다시 마음을 잡고 공부를 해야 하는데 그게 마음처럼 쉽지 않은 것 같다. 마지막 기회를 어떻게 쓸지 고민하다가 결국 정했다.

'내 공무원 시험 결과에 대해 물어 봐야겠어.'

물론 로또 번호를 알고 싶지만 그건 '예, 아니오'로 정해지지 않는다. 엄청나게 좋은 기회인데 소박한 것을 본다는 걸로 바꾼다는 게 이해가 안 갈 수 있지만, 나는 이 오르골로 엄청난 부를 얻는다 하더라도 쉽게 사라질 것이라 생각한다. 쉽게 얻은 부는 금방 사라지기 마련이니까.

곧바로 나는 메모지를 찢어 내 공무원 시험 1차 합격 여부에 대한 질문을 메모지에 적었고, 날름 내밀고 있던 오르골 혓바닥에 메모지를 넣었다. 그러자 마지막 기회라는 걸 암시하는 듯이 초록색 눈을 하고 있던 오르골의 눈이 적색으로 붉게 물들었다. 오르골의 눈동자가 세차게 돌아갔고, 시간이 조금 지났을까 싶었던 찰나 결과를 연주하기 시작했다.

“끼이익 끼익 끼이이익”

질문의 부정인 소리가 들려왔고 나는 미래의 내 결과를 연주하는 오르골을 믿을 수 없다는 듯이 쳐다볼 수밖에 없었다. 3년에 더해 이번 연도의 내 노력이 저 연주 한 번에 부정당하는 것 같았다. 믿고 싶지 않았던 일들이 겹쳐 현실을 직시하게 만드는 메아리가 되었고, 나를 아프게 만들었다.

항상 오르골을 던져서 끝까지 듣지 못했던 오르골 소리가 끝이 나자 방은 믿을 수 없다는 듯이 적적함이 방을 감싸 안았다. 난 아직도 오르골 소리를 끝까지 들었던 그 날이 어떻게 끝났는지 기억나지 않는다.

제4장

최근 2주 동안 책을 한 번도 펼치지 않은 것 같다. 어떻게 하더라도 결과는 부정일 테니까. 공부하더라도 의미가 있는 걸까 싶었다.

오르골과 설명서는 기회를 다 사용하고 나니, 어느샌가 어디에도 보이지 않게 되었다. 생각해보면 지구에 이런 물건이 있다는 것도 신기하게 생각이 될 텐데, 나는 왜 그때 아무렇지 않게 사용했던 건지 의문이기도 했지만 금세 이미 지나간 일이라며 잊고 말았다.

"위이잉 위이잉"

진동모드로 바꿔놓았던 핸드폰이 울리기 시작하였다. 핸드폰을 집어 문자를 확인하니 제희였다. 제희의 문자 내용은 요약하면 지난 일도 풀 겸 술이나 먹자는 것이었다. 나도 공허하게 시간만 가고 있는 이 상황이 마음에 들지 않아서인지 원래라면 자주 가지 않았던 사내 둘이서 먹는 술자리를 가게 되었다.

씻고 옷을 갈아입은 뒤 문고리를 밀며 어둡던 다락방에서 빛이 드는 세상으로 나가게 되었다. 밖으로 나간 뒤, 어느새 술자리에 도착해 있었다. 도착하자마자 눈에 비쳤던 것은 삼겹살 2인분과 소주 한 병이었다.

"야, 이 새끼야 2인분이 뭐냐? 남자 둘인데 못해도 4인분은 시켜야지."

나는 전에 있었던 적막에 환기하고 분위기도 풀 겸 해서 먼저 아무렇지 않게 말을 건넸다.

"내 거만 시킨 거다. 병신아 네 건 네가 시켜 먹어."

제희는 큭큭대며 내 말에 호응해 주었다. 그렇게 내가 음식을 추가로 주문하고 나서 서로의 근황이 어떠니 마니 하며 얘기를 나눴고, 이후 술이 들어가고 나니 어느새 지난 술자리의 이야기를 꺼내게 되었다.

"전에는 미안하다. 네가 시험에 예민한 것도 아는데 들먹인 거 말이야. 내가 술만 들어가면 감정을 주체하기가 힘들어서 미안하다."

"괜찮아 임마. 다 잊었어. 네가 그러는 게 한두 번이냐? 너도 힘든 시기잖아. 다 이해해."

"넌 가끔 보면 정말 천박한데 이렇게 보면 정말 괜찮은 애 같아."

"당연하지. 내가 모난 곳이 어딨다고, 얼굴도 잘생겼고."

"다 좋은데 그 자뻑이 문제야. 한 번만 더 자뻑하면 개처맞을 줄 알아라."

나는 킥킥대며 알겠다고 말했다. 그리고 내가 최근 느끼고 있는 감정에 대해 제희에게 상담을 시작하였다.

"제희야, 요즘 고민이 있는데 노력을 하는 도중에 미래를 보고 결과를 알게 되었다면 계속 노력하는 게 맞는 걸까?"

"하는 목적이 결과의 변동이라면 소용없겠지. 하지만 나였다면 뭐가 어떻든 노력이라도 해볼 거야. 너도 그랬잖아. 잘 살 거라고 말이야. 그럼 잘 살아야지."

제희는 지난번 술자리에서 내가 했던 얘기들을 기억하고 있었다. 제희는 무기력한 내게 용기를 주었다. 하긴 오르골 따위가 뭐라고 한번 운 좋게 맞춘 것일 수도 있고, 내가 그 결과에 속아 믿는다면 내 인생은 하찮은 오르골 따위에게 의존하며 살아가야 했을 것이다.

"고맙다 제희야. 이제야 마음을 좀 다잡을 수 있을 것 같아. 이제 어떻게 해야 할지 정했어."

"고마우면 이 술 내가 사."

"그건 아니지. 이 새끼가 미쳤나? 혼자 4인분을 먹어 놓고."

"고맙다며. 그럼 사야지."

난 제희랑 티격태격하다 결국 서로 공평하게 돈을 나누어 계산하였고, 술자리를 마친 뒤 나는 숙취해소제를 마셨다. 그리고 옥탑방으로 들어가 바로 자는 것이 아닌 책상에 앉아 공부를 시작했다.

'전처럼 계속 살았다간 개못생긴 오르골이 말한 것처럼 내 인생이 시궁창 날 것이 뻔해. 난 내 운명을 바꾼다!'

뭔가 이렇게 말하니 큰일을 준비하는 위인처럼 가슴이 뛰었다. 그리고 바로 공부를 시작했다.

제5장

마음먹은 날이 1월쯤이었나? 남은 삼 개월 동안 최선을 다해 시험을 준비했다. 아마 공부한 시간으로만 따진다면 하루의 절반 이상을 쉬지 않고 공부했으니까. 나로서는 최선이었다고 말할 수 있다.

열심히 준비하는 동안에는 결국 4월 21일 시험 당일이 찾아왔다.

"2018년도 국회직 8급 공무원 시험을 시작하겠습니다!"

내 노력을 시험하는 시간이 찾아왔다. 아마 이번에는 다를 것이라고 맹세한다. 한낱 오르골 따위가 내 운명을 마음대로 결정지을 수 있는 것이 아니다. 운명은 내가 짓는 것이다. 나는 '내가 나를 만든다'라는 말을 참 좋아했다. 그렇게 시험지를 받고 내가 배웠던 노력을 적어 나갔다.

"삐빅 삐비빅 삐빅"

시험이 종료됐다는 알람음과 함께 감독관은 내 시험지를 걷어 갔다. 시험지가 사라지고 나서 나는 안도의 한숨을 내쉬었다.

"아, 잘 본 것 같긴 한데, 모르겠다."

시험은 1, 2교시로 나누어져 있고, 중간에 25분이라는 쉬는 시간이 있었다. 이게 1차이고 통과한다면, 면접만 남은 것이다. 면접만 통과한다면 내 3년 노력의 결실이 보상받을 수 있을 것이다.

나는 건물을 빠져나가, 흡연실에서 담배를 피고 집으로 돌아가려는 길이었다. 맞은 골목길에서 어디선가 보았던 여성의 얼굴이 내 눈동자에 비쳤다.

"와아, 진짜 오랜만이네요. 잘 지냈어요?"

"어! 오르골녀?"

"오, 오르골녀? 제 이름은 오르골녀가 아니라 윤지아예요."

그녀는 나를 보자마자 싱긋 웃으며 인사를 건넸고, 내가 당황해서 황당한 말을 하자 그녀는 내 말을 다시 정정해주었다.

"저한테 묻고 싶은 일들이 많으신 거 같은데, 일단 자리를 옮겨서 이야기할까요?"

결국 근처에 있는 카페로 가서 지아와 이야기를 하게 되었다.

"먼저 제가 궁금한 건 그 오르골입니다. 오르골에 정체가 뭔가요?"

"그 질문에 대해서 일단 그 오르골은 저희집 가문 대대로 내려온 유물입니다."

"예? 그럼 제게 그 오르골은 왜 주신 건가요?"

"글쎄요. 저도 모르겠네요. 저는 오르골이 가라는 대로 가서 당신에게 오르골과 종이를 준 거예요. 그 오르골은 40년마다 저희집 어딘가에 나타나 다른 주인을 찾아가서 시련을 내려요. 그리고 이번 시련 대상은 당신이었구요."

나는 전에도 느낀 이해할 수 없는 상황이 닥쳐오자 혼란스러워졌지만, 인간은 적응의 동물이라고 하였던가, 겪었던 상황에 적응하고 질문을 이어나갔다.

"뭐, 대충은 알겠네요. 근데 그 오르골이 정말 사실만을 말하는 건가요? 마지막 질문에 대답은 부정이었지만 저는 1차 시험에 합격할 예정입니다. 그 오르골이 말한 상황과 반대가 되었어요."

나는 카페에 오면서 정답지가 공유된 것을 보았고, 어느 정도 기준에 만족해 1차는 합격이라는 것을 알게 되었다.

"와아, 정말 대단하시네요. 운명을 바꾸셨어요. 그 오르골은 종이를 적은 당시를 기준으로 답을 해주죠. 언제 마지막 질문을 하셨는지는 모르겠지만, 그 사이에 당신이 운명을 바꾸어서 오르골이 말한 것과는 반대로 된 거예요."

오르골 따위에게 운명을 맡기지 않은 것은 자랑스럽게 생각한다. 스스로 믿지 않았더라면 나는 공무원 시험에 합격할 수 없었겠지. 역시 매듭은 끝까지 지어야 한다. 중간이 꼬였다 하더라도 포기하지 않고 하다 보면 결국에는 완성되는 것처럼 말이다.

노력은 사람을 버리지 않는다는 사실이 맞는 것 같다. 내 3년의 매듭이 결국 빛을 보게 되었으니 말이다.

"뭐, 어느 정도 궁금한 것은 다 풀리신 거 같네요. 오르골에 부작용이 있었더라면 보상해드렸을 것 같지만, 역시 오르골이 선택한 사람답게 결과에 굴복하지 않으셨으니까요. 이제 그만 갈까요?"

지아는 말을 마치며 자리를 일어났고, 나는 이렇게 예쁜 사람을 놓치기 아쉬워 말을 이었다.

"저… 혹시 실례가 안 된다면 연락처 좀 주실 수 있으신가요? 이렇게 예쁜 사람은 처음 봐서요."

지아는 내 말에 빵 터졌고 이내 다시 페이스를 유지하며 내 질문에 답을 해주었다.

"죄송하지만 전 담배피는 사람은 싫어서요. 죄송합니다. 그럼 담에 또 봬요! 아 그리고 이건 선물이에요."

지아는 그렇게 말하며 내 주머니에 무언가를 넣고 나갔고, 나는 차였다는 현실에 쉽게 고개를 올리기 힘들었지만 지아가 준 것은 다름 아닌 연락처였다. 연락처 밑에는 '담배끊으시면 생각해 볼게요'라는 문장이 적혀 있었다.

역시 오르골을 준 사람 아니랄까 봐, 그녀는 내가 번호를 달라는 것까지 예상했나 보다. 어쨌든 이는 내가 담배를 끊는 계기가 되었으며, 노력의 결실을 전부 보상받게 되는 계기가 되었고 이쁜 여자친구가 생겼다.

나는 아직도 그 오르골을 생각하면 괴이한 일들이 생각났지만, 또 그 오르골이 아니었더라면 내가 바뀌지 않았을 수 있다는 생각이 들었다. 오르골은 내게 피할 수 없는 운명이었지만, 또 피하지 않아서 얻게 되는 하나의 시련과 보상이라는 생각이 들었다.

앞으로는 이 일을 기점으로 결과를 생각하지 않고 노력만으로 끝까지 매듭지어 앞을 바라볼 생각이다. 지난 날의 오르골은 어쩌면 내겐 내 인생을 바꿔준 기적이 아닐까 생각이 든다.

마치는 글

작품의 이야기가 끝이 나고 나니 조금 아쉬운 감정들이 많이 남는 것 같습니다. 분명 책을 처음 쓰는데도 불구하고 익숙하게 이야기를 전개하며 만들어 나갔습니다. 그리고 이야기가 끝이 났을 때는 아쉬웠습니다.

분명 더 잘 쓸 수 있었고, 또 내용의 전개를 부드럽게 풀어나갔을 수도 있었을 겁니다. 하지만 첫 술에 취할 수 없다는 말이 있습니다. 앞으로도 더욱 글을 많이 쓰고 이러한 기연들을 계기로 더욱 성장해 보겠습니다.

비록 이번 작품이 마음에 들지 않는 분들도 계시겠지만 그런 분들 또한 만족할 수 있는 작품을 만들어보겠습니다. 이상으로 긴 작품과 제 말을 들어주셔서 감사합니다.

최정인

작가명: 최정인

꿈: 드라마 작가

좌우명: 행복하자.

좋아하는 가수: 아스트로, 몬엑, 스키즈, 세븐틴, 김재중

좋아하는 음식: 집밥, 파스타, 초밥

나에게 한마디: 앞으로도 화이팅!

따뜻한 저승사자

최정인

긴장

4월 초 사자(使者)학교 입학식에 간 나는 가방끈을 꽉 잡고 식은땀을 흘리고 있었다. 곧이어 교장 선생님의 뻔한 훈화 말씀이 이어졌고, 가만히 듣고 있다 보니 나는 어느새 긴장이 살짝 풀렸다. 소심하게 주위를 둘러보던 나의 눈에 같은 동네에 사는 재형이가 보였다.

'재형이네! 다행이다.'

재형이를 발견한 후 나는 어떻게 다가갈지 고민하느라 훈화 말씀은 듣는 둥 마는 둥 했다.

"그럼 각자 안내받은 반으로 올라가 주시기 바랍니다."

순간 나는 정신이 번쩍 들었다. 분주하게 움직이는 아이들 사이에 혼자 다시 식은땀을 흘리며 미동조차 못 하는 나에게 누군가가 다가왔다.

"야, 하준아! 너 재형이랑 같은 반이더라!"

여전히 밝은 얼굴로 나에게 말을 걸어주는 재형이는 변한 게 없었다. 부끄러운 마음에 반가움을 애써 숨기려 노력했지만, 입꼬리가 자꾸 올라가는 게 느껴졌다. 우리는 서로에 대한 얘기를 나누며 [망자관리반]으로 들어갔다.

곧이어 선생님이 들어오셨고, 입학을 축하한다는 말과 함께 사자(使者)학교는 [저승반], [명부관리반], [망자관리반] 이렇게 세 개의 반이 있는다, [저승반]은 저승에서 일어나는 일을 관리. 감독하는 일을 원하는 아이들이, [명부관리반]은 망자들의 명부를 정리하고 관리하는 일을 원하는 아이들이, 그리고 우리가 있는 [망자관리반]은 인간들이 알고 있는 '저승사자'의 일을 원하는 아이들이 듣는 수업을 가르친다고 설명하셨다. 어떤 수업인지는 직접 몸소 배우라는 말과 함께 손을 휘휘 저으며 선생님은 반을 나가셨다.

"망자 관리라면 인간 세상에 직접 가야 하는 거겠지?"

"그렇겠지. 아무래도?"

재형이의 말을 듣고 난 급격하게 피곤해지는 걸 느꼈다. 그냥 명부 관리반이나 갈 걸 왜 괜히 망자를 관리한다고 해서… 하지만 지금 와서 후회해봤자 소용없었다. 반은 배정받았고, 학교생활도 시작됐다. 입학식 날이라 그런지 우린 정식수업보다는 간단하게 학교를 둘러보고, 선배들의 수행 모습을 보러 인간 세상에 올라갔다. 태어나서 처음 가보는 곳이라 그런지 손에 땀이 가득했다.

처음 마주한 인간 세상은 엄마와 아빠한테서 들은 것처럼 어둡지만은 않았다. 저승세계와 비슷하게 반짝거리는 건물도 있고, 푸른 하늘도 있었다.

"재형아, 너 망자들이 이렇게 많은 거 알고 있었어?"

"아니, 이렇게까지 많을 줄 몰랐지."

"그럼 왜 여기 온 거야?"

"질문이 뭐 그래?"

"아니…."

앞의 아이들 뒤를 따라가며 조용히 속닥거리던 우리에게 선생님께서 이제 수다는 그만 떨고 앞을 보라며 목소리를 살짝 높이셨다.

"너희도 나중에 저렇게 망자를 관리할 저승사자가 될 거다. 정신 바짝 차려야 돼."

'정신 바짝 차려야 된다고? 왜지?'

그냥 망자 데려오는 일을 하는 게 저승사자들의 책임 아닌가… 하는 생각을 한 나는 선생님의 말을 이해할 수 없었다.

"그야 저런 망자들 때문이겠지?"

재형이가 가리킨 곳에는 안 가겠다며 떼쓰는 망자와 입씨름을 하는 저승사자 한 명이 있었다. 선생님께서는 우리에게 익숙해져야 한다며 가까이 가서 미리 봐두라고 하셨다.

"김승주님 맞으시잖아요. 가셔야 된다니까요?"

"안 간다니까 글쎄!!"

“죽었으면 저승을 가야죠. 여기서 뭐 하실 건데요?”

“난 안 죽었어! 아직 아흔둘이라고! 팔팔해!”

망자와 입씨름을 하는 저승사자를 직접 눈앞에서 본 나는 더더욱 이 반에 있기 싫어졌다.

‘매번 저렇게 입씨름해서 데려가야 되는 건가… 재형이는….’

아직 본격적인 수업을 하지 않았음에도 걱정이 앞선 나는 재형이의 얼굴을 힐끔 쳐다봤다. 재형이의 얼굴은 어딘가 들떠있었다. 딱 봐도 ‘나도 언젠가는 저렇게 멋있는 저승사자가 되겠지?’ 하는 얼굴이었다. 역시 재형이와 나는 결이 다르다는 생각에 한숨만 더 나왔다. 입씨름을 일평생 해 본 적도, 해 볼 생각도 없던 나에게 앞으로 입씨름 해야 할 일이 생긴다니. 벌써부터 걱정이 태산이었다. 울상이 된 난 망자를 데려온 후에는 어떤 일을 하는지 보러 가겠다는 선생님의 말에 아이들과 선생님의 뒤를 따라갔다.

“너 아까부터 왜 그렇게 울상이냐?”

“괜히 왔어.”

“네 성격이랑 안 맞긴 하지? 그래서 나도 좀 의아해하고 있었는데. 왜 왔냐?”

"엄마랑 아빠가 이 일 하고 있으니까. 도와줄 수도 있고, 혜택도 있고… 무엇보다 다른 반보다 나중에 돈이 되잖아."

"너가 가고 싶은 반 가지 그랬어."

"우리 엄마 아빠 성격 알잖아."

"하긴 두 분 다 성격 하나는 끝내주시지. 졸업까지만 버티자."

"그러다 내 명이 끝날 것 같은데."

"우리한테는 명이라는 게 없어. 정신 차려 친구야. 숙명 정도가 우리의 명이겠지."

후회

투덜거리는 사이 우리는 어느새 [명부관리]라고 적힌 곳에 도착했다. 관리반은 한 사자 당 컴퓨터 한 대를 가지고 있었다. 집에서 부모님께 들었던 것과는 완전 딴판이었다. 서류를 작성하긴 했지만, 컴퓨터로 작성 후 메일로 주고받았고, 어떤 망자가 있는지, 어떤 망자가 없는지도 컴퓨터가 다 알아서 했다.

"여기 올걸."

"재미없잖아. 표정 좀 봐."

재형의 시선이 향한 곳을 보았고, 아까 인간 세상에서 봤던 망자들과 구분이 안 될 정도로 사자들은 지쳐있었다.

"너도 저렇게 되고 싶은 거야?"

"입씨름하면서까지 누구 잡으러 다니고 그러는 것보다는…."

"돌아다니면서 건강도 챙기고 돈도 챙기고 일석이조 아니냐?"

현실적으로 생각해보라고 말하려던 그때, 누군가가 손을 번쩍 들고 다른 반이 하는 일을 왜 보냐는 질문을 했다. 재형이와 말하느라 애들이 가는 곳을 따라가기만 급급했지, 저런 생각은 하지 못한 자신에 벙쪘다. 재형이는 아닌 것 같았지만 말이다.

선생님은 뒤돌아서 우리를 향해 말씀하셨다.

"반은 나뉘어 있지만, 일은 나눠서 하지 않기 때문이다. 답이 됐나?"

손을 들었던 그 애를 포함해 모두가 어리둥절한 표정을 했다.

"망자반 선생님! 망자들만 명부에 쓰라고 지도하시라니까요? 망자 아닌 이름을 명부에 쓰면 저희가 할 일이 늘어난다고요!"

퀭한 눈과 반대되는 하이톤의 목소리를 한 저승사자 한 명이 선생님께 다가왔다.

선생님은 우리와 명부를 잠깐 번갈아 봤다. 왠지 뭔가 시킬 것 같다는 느낌이 강하게 들자 난 고개를 홱 숙였다.

“하준아, 부모님이 [망자관리반]이였지?”

올 게 왔구나 싶었다. 한숨과 함께 작게 ‘네’라는 대답 밖에 할 줄 모르는 내가 너무 싫었다. 왜 하기 싫다고 말하지 못했을까.

“재형이랑 둘이 친해 보이는데, 둘이 한 번 이분 찾으러 갔다와 봐.”

부모한테 내 의견 하나 제대로 말하지 못하는데 망자를 데리고 온다고? 말도 안 되지. 지금이라도 못하겠다고 말해야 했다. 어쩌면 기회였다. 나와 맞는 것 같지 않다고 말할 수 있는 기회. 이런 생각으로 숙였던 고개를 드는 순간 재형이가 선생님의 제안을 수락했다.

“야, 뭐 하는 거야?”
“이건 기회야.”

우리한테 기회는 서로 달랐다. 난 이 일이 하기 싫었고, 애당초 생각조차 없었지만 재형이는 이 일이 즐거웠고, 적성에 맞았다. 아니, 그래 보였다. 한 번만 해보자는 재형이의 말에 어쩔 수 없이 고개를 끄덕였다. 또 많은 애들 앞에서 도망치는 모습을 보여주고 싶지 않은 것도 한몫했다. 그렇게 결국 우리 둘은 인간 세상에 다시 올라왔다.

재형은 나와는 다르게 들떠있었다. 우린 아직 배운 게 없는데 어디서부터 어떻게 시작해야 하고, 어떻게 찾아야 하며, 어떻게 데려가야 하는지도 알 수 없었다. 그저 명부에 잘못 적힌 사람을 찾으면 연락하라는 말만 들은 채 인간 세상에 올라왔다.

"하준아, 이거 봐! 완전 신기해. 장난감에서 노래가 나와!"
"오르골이야. 빨리 찾아서 돌아가자."

여기저기 구경하느라 정신 팔린 재형의 손을 잡아끌었지만, 체격 차이 때문인지 끌려오지 않았다. 난 결국 포기하고 혼자 찾겠다며 재형을 두고 길을 나섰다. 명부를 다시 확인해보니 나와 동갑으로 보이는 귀엽게 생긴 남자애가 있었다. 실수한 건 내가 아닌데 도대체 왜 내가 죽은 것도 죽지 않은 것도 아닌 망자와 인간의 경계에 있는 애를 데려가야 하는지 의문이었다. 다시 올라오는 짜증을 꾹꾹 누르며 발걸음을 옮겼다.

사거리의 신호등에 서 있을 때 건너편에 반듯하고 단정하게 생긴 남자애 한 명이 책을 들고 있는 게 눈에 들어왔다. 건너편의 남학생이 확실한지 긴가민가할 때 신호등 불이 바뀌고 사람들이 길을 건넜다. 그 애는 점점 내 쪽으로 다가오고 있었고, 순간 당황한 나는 시간부터 멈췄다.

'어어, 어떡하지? 뭐라고 말해야… 안녕하세요? 이건 아닌 것 같고. '저기 저승 가야 돼요'라고 말하면 퍽이나 가겠다.'

한참을 고민하고 있는데 선생님의 말씀이 문득 떠올랐다.

'그 애 발견하면 일단 연락부터 해.'

그래, 연락부터 하자. 휴대폰을 찾기 위해 주머니를 뒤적거리던 내 손은 점점 빨라졌다.

'어디 갔어? 내 휴대폰.'

남자애는 만났는데 연락할 휴대폰이 없어졌다. 하필 멈춘 시간의 효력도 점점 줄고 있는지라 마음이 조급해졌다. 결국 휴대폰도 찾지 못하고 효력도 떨어져 난 그 남자애 앞에서 어정쩡하게 서 있는 꼴이 되었다. 저승사자는 망자를 만나거나 데려갈 때 항상 품위를 지켜야 한다고 신신당부를 하던 부모님이 떠올라 저절로 고개가 숙여졌다. 시간을 되돌리고 싶었다.

"저기, 왜 그러세요?"

아직 안 갔는지 그 남자애는 허리를 숙여 나의 얼굴을 올려다보며 물었다. 자신을 데려가려던 사람에게 괜찮은지 물어보는 아이라니, 난 겁도 없다고 생각했다.

"이름이?"
"이하준이요."
"예…이하…에?"

하필 나의 첫 임무가 특수상황인 저승사자와 동명이인인 망자였다.

깨달음

비록 명부에 잘못 기재된 망자지만 나와 동명이인이었다. 저승사자와 망자의 이름이 같은 경우, 이름이 다른 저승사자가 데려가야 했다. 재형이가 같이 올라오긴 했지만 한 눈 팔린 친구를 데려올 방법이 없는 상황인지라 내가 직접 데리고 가야 했다. 결국 난 혼날걸 감안 하고 망자 하준에게 상황부터 설명했다.

설명을 다 들은 망자 하준은 듣는 동안 아무 말이 없었다. 정확하게는 손으로 입을 가린 채 얼어붙었다는 표현이 더 맞는 것 같았다.

"예상한 반응이긴 한데."

"저 죽었어요?"

"아니, 죽은 게 아니라."

"그럼 왜 데려가는데요?"

"그니까…하, 일단 가자."

그렇게 휴대폰과 친구를 인간 세상에 내버려 둔 채 나와 망자 하준은 저승으로 갔다. 저승에 도착하자 망자 하준의 눈이 동그래졌다. 자신이 알던 저승과는 다르게 생각보다 현대화되어있는 것 같다며 인간 세상에 올라왔을 때 재형이의 눈빛과 똑같았다. 그런 망자 하준을 보고 있자니 마음 한쪽이 아파왔지만, 어쩔 수 없는 일이었다.

'빨리 데려다주고 끝내야지.'

버스에 오르고, 사자 학교에 정문에 도착한 난 발이 떨어지지 않았다. 정말 얘를 데리고 가도 되는 건지, 정말 이 아이가 맞는 건지, 만약 아니면 어떻게 되는 건지 부정적인 미래들이 날 집어삼키는 것만 같았다.

한숨을 쉬며 마른세수를 내게 망자 하준이 가방에서 무언가를 건넸다.

"긴장돼요? 이거 줄까요?"

망자 하준이가 건넨 건 다름 아닌 부적이었다.

"너 이 새끼…저승사자한테 부적을 줘?"
"아, 맞다. 죽진 않죠?"
"저승사자는 안 죽어."

자기만의 긴장을 풀어주는 부적인데 거절당했다며 혼잣말을 하면서 부적을 도로 가방에 넣는 망자 하준 덕분에 긴장이 풀린 난 용기를 내서 곧장 교무실로 갔다. [망자관리반] 선생님을 찾기 위해 주위를 둘러봤지만 다른 반 선생님들만 계실 뿐이었다. 교무실에서 나온 난 망자 하준과 눈이 마주쳤고, 서로 멋쩍은 웃음만 주고받았다.

"그냥 다시 가자."
"네? 그래도 돼요?"
"어차피 친구도 찾아야 하고.."

속으로 차라리 잘됐다고 생각하던 참이었다. 교무실까지 오면서 긴장과는 다르게 불안한 생각들은 떨쳐낼 수 없었던 게 사실이었고, 인간 세상에 혼자 두고 온 재형이도 불안했다. 그렇게 둘은 다시 인간 세상에 올라가기 위해 학교를 나섰다.

"하준아, 데려오지 말고 연락하라니까?"

익숙하고 반갑지 않은 목소리가 하준을 반겼다.

"아, 제가 휴대폰을 잃어버려서…."

[망자관리반] 선생님은 망자 하준을 잠깐 보시더니 고개를 갸우뚱하셨다.

"얘 아닌데?"
"네?"
"얘 아니라고. 너 명부 똑바로 안 볼래? 부모님은 잘했는데 넌 왜 이러니? 4번 게이트로 나갔니?"
"명부에 4번 게이트로 나가라고…."
"3번 게이트라고 적혀 있잖아. 똑바로 봐야지. 너 이거 실전이었으면 큰일 났어."
"죄송합니다. 다시 다녀올게요."

난 말을 마치고 곧바로 망자 하준과 길을 되돌아갔다. 우리 둘은 가는 내내 말이 없었다. 인간 세상으로 통하는 긴 통로를 지날 때 즈음 적막을 깬 건 망자 하준이었다.

"이름이 뭐예요?"

난 대답을 하지 못했다. 망자에게 자신의 정보를 알려주는 건 금지되어 있었으니까.

"그럼 몇 살이에요?"

난 또 대답하지 못했다. 계속 묵묵부답인 내게 답답함을 느꼈는지 망자 하준은 목소리를 높여서 말했다.

"왜 그쪽에 대해서는 아무것도 말 못 해요?"

난 가만히 들으며 길만 걸었다. 그러자 망자 하준이 다시 입을 열었다.

"이 일이랑 그쪽이랑 안 맞는 것 같아요."

누군가가 이렇게 알아봐 주는 게 처음이었다. 부모님도, 선생님도 하다 보면 익숙해질 거라 말했는데, 처음 보는 누군가가 심지어 잘못 데려온 망자가 이렇게 말해 준다는 게 이상했다. 발걸음이 멈췄다.

“안 맞는 거 몰랐어요? 하긴, 자기 이름도 모르고 나이도 모르고… 스스로 누군지도 모르는 바보가 알 리가 있나?”

목이 메어오는 것을 느꼈다. 뭐라 말을 하고 싶었지만 무슨 말을 하고 싶은지 스스로도 몰라 답답하기만 했다.

“이 일이 안 맞으면 맞는 일을 해요. 대충 보니까 뭐 많드만. 왜 안 와요? 나 길 모른단 말이에요.”

가만히 서 있는 걸 느꼈는지 뒤를 돌아본 망자 하준은 눈물이 그렁그렁한 날 보고는 당황했는지 그 자리에서 얼어붙었다. 잠깐 주변 눈치를 보던 망자 하준이 발걸음을 떼고 나를 안았다.

“아까 그거 혼나서 우는 거예요? 뭐, 왜 우는데? 뭔데?”

나도 내가 왜 우는지 몰랐다. 그래도 확실한 건 누군가가 속내를 알아봐 줬다는 사실에 감동했다는 것이다. 꽉 막힌 목소리로 겨우 고맙다는 말을 전했다. 망자 하준은 아무 말 없이 내 등을 토닥이며 말했다.

"뭐야 따뜻하잖아? 저승사자 차갑다는 거 다 뻥이었어."

잠깐 진정하기 위해 벤치에 앉은 둘은 어색하게 음료만 홀짝였다. 망자 하준은 왜 울었는지 묻지 않았다. 그저 내가 진정할 때까지 가만히 기다렸다. 조금 진정이 된 난 망자 하준에게 만약 부모님이 원하는 직업을 선택하지 않으면 어떻게 될까를 질문했다. 망자 하준의 대답은 단순했다.

"저승사자는 안 죽는다면서요?"

망자 하준의 한 마디에 많은 게 담겨있었다. 한 번 해보라는 뜻인 걸 알았지만, 용기가 나지 않았기에 난 고개만 작게 끄덕일 뿐이었다.

"왜요. 부모님이 억지로 뭐 시켜요? 그럼 하지 마요. 나도 그래서 내가 원하는 피아노 하고 있는데?"

고개를 홱 돌려 망자 하준을 바라봤다. 망자 하준이 눈썹을 올리며 날 쳐다봤다. 뭐가 하고 싶냐는 질문을 받은 난 망설임 없이 바로 이 일만 아니면 된다고 대답했다. 망자 하준은 그럼 하지 말고 자기나 데려다 달라며 엉덩이를 털고 일어났다. 나 또한 우물쭈물 망자 하준을 따라 일어났다.

“용기 좀 내요. 계속 봤는데, 그쪽은 그게 문제야. 자신감이 없어. 그러니까 아무것도 못 하지. 죽지도 않는데 뭐가 그렇게 겁이 많아요? 긴장 많고 죽음 있는 인생 사는 나도 용기 낼 줄은 안다.”

아무 말도 할 수가 없었다. 그리고 저렇게 말하는 망자 하준이 신기했다.

“그쪽은 저승사자랑 안 맞아요. 사람들이 다 아는 차가운 저승사자 말고, 사람들이 잘 모르는 따뜻한 저승사자 해요.”

고개를 끄덕이고 망자 하준에게 고맙고 미안하다는 표시로 어깨를 두드렸다. 뭐냐고 묻는 망자 하준에게 그저 웃기만 했다. 역시 아무것도 모른다는 말을 들어도 나는 잘 가라는 말만 했다. 그렇게, 우리 둘의 인연은 끝이 났고 난 가벼운 발걸음으로 다시 학교로 돌아갔다.

마치는 글

제가 쓴 〈따뜻한 저승사자〉는 현대사회에서 하고 싶은 일을 하지 못하고 부모님이나 주변 시선만 신경 쓰고 눈치 보는 학생들을 보고, 그런 성격을 가진 저승사자를 주인으로 설정해서 쓴 글입니다.

전하고자 하는 메시지를 다 담을 수 있겠다고 생각했는데 그러지 못해서 경솔했구나 하고 느끼는 시간이었습니다.

하지만 글을 다 쓰고 실제로 책을 출간하니까 뿌듯하면서도 직접 책을 냈다는 게 아직까지 실감 나지 않습니다. 그래도 늘 상상했던 순간을 맞이해서 영광이고, 이런 기회를 주신 선생님과 작가님께 감사하다고 말씀을 드리고 싶습니다.